Mickey Sharp dans
LES BRUTES ET LE PETIT FRÈRE

Cher Samuel,

Je te souhaite de très belles vacances ! Tu les mérites.

Maryse xxx

juin 2014

Mickey Sharp dans

LES BRUTES ET LE PETIT FRÈRE

DOMINIC BARKER

Traduit de l'anglais par
Guy Rivest

Éditeur : François Doucet
Traduction : Guy Rivest
Révision linguistique : Daniel Picard
Correction d'épreuves : Nancy Coulombe, Katherine Lacombe
Montage de la couverture : Matthieu Fortin
Mise en pages : Mathieu C. Dandurand
ISBN papier : 978-2-89733-192-4
ISBN PDF numérique : 978-2-89733-193-1
ISBN ePub : 978-2-89733-194-8
Première impression : 2013
Dépôt légal : 2013
Bibliothèque et Archives nationales du Québec
Bibliothèque Nationale du Canada

Éditions AdA Inc.
1385, boul. Lionel-Boulet
Varennes, Québec, Canada, J3X 1P7
Téléphone : 450-929-0296
Télécopieur : 450-929-0220
www.ada-inc.com
info@ada-inc.com

Diffusion
Canada :   Éditions AdA Inc.
France :   D.G. Diffusion
            Z.I. des Bogues
            31750 Escalquens — France
            Téléphone : 05.61.00.09.99
Suisse :   Transat — 23.42.77.40
Belgique : D.G. Diffusion — 05.61.00.09.99

Imprimé au Canada

Participation de la SODEC.
Nous reconnaissons l'aide financière du gouvernement du Canada par l'entremise du Fonds du livre du Canada (FLC)
pour nos activités d'édition.
Gouvernement du Québec — Programme de crédit d'impôt pour l'édition de livres — Gestion SODEC.

CHAPITRE 1

Je suis assis dans ma remise avec une bouteille de Coke et un sac de chips. Une semaine s'est écoulée, et j'ai presque perdu espoir de trouver un jour une clientèle. Il y a sept jours, il me semblait que c'était la meilleure idée que j'aie jamais eue. Un détective privé pour adolescents. Je me suis dit que, si les adultes avaient tous ces problèmes, alors les ados devaient aussi en avoir. Et, comme ils sont des ados, ils devaient en avoir des tonnes. Ils n'avaient tout simplement pas les moyens de débourser autant mais, comme je débutais, je pouvais me permettre de fixer un tarif bon marché.

En fait, je me conte des histoires. Je n'avais pas d'autre choix.

Il semble bien que mon tarif bon marché ne suffise pas. Personne n'est venu et personne ne se pointe à l'horizon. Peut-être que ma pub était mauvaise. Je l'ai placée dans toutes les fenêtres de boutiques en ville et dans tous les journaux gratuits.

C'est l'adresse qui me dérange le plus. Iriez-vous confier votre problème à un garçon dans une remise? Je ne suis pas certain que je le ferais.

Je jette un regard critique autour de moi. C'est en quelque sorte mon lieu préféré ces jours-ci. Ma chambre me va, mais je n'y ai pas beaucoup d'intimité. Il y a toujours quelqu'un qui y fait irruption. Comme je suis le plus jeune, personne dans ma famille ne semble penser que j'aie des droits. Essayez un jour d'entrer dans la chambre de ma sœur sans frapper, et vous verrez ce qui vous arrivera. Ce ne sera pas joli. Alors, je passe beaucoup de temps ici quand je suis à la maison.

DÉTECTIVE PRIVÉ

CHERCHE AFFAIRES
ACCEPTE TOUT DANS LA RÉGION
14 ans, alors services bon marché

Communiquez avec :

Mickey Sharp
La Remise, L'arrière-cour
32, Wake Green Road
Hanford

Mon meilleur copain, Umair, avait l'habitude de venir jusqu'à ce que ses parents le lui interdisent. J'ai un lecteur de CD et un jeu de fléchettes et deux vielles chaises ici, dans ma remise. Je l'ai même dépoussiérée ; c'est la première fois que je nettoie vraiment quelque chose convenablement. C'est plus difficile qu'il n'y paraît. Depuis que j'ai décidé de devenir détective, j'y ai même apporté un vieux bureau. Il se trouvait dans le garage depuis des années, mais j'ai pensé qu'il me fallait un bureau si je voulais avoir l'air sérieux. Et je peux mettre mes pieds dessus quand je réfléchis. Mais, quoi que j'en aie fait, ça demeure une remise. Et le problème avec les remises, c'est qu'elles ne font pas très professionnel.

Je songe tristement à tout ça et je me dis que je vais devoir retourner regarder passer les trains quand soudain elle fait son apparition.

Elle a au moins 15 ans et elle a l'attitude d'une fille qui le sait. Elle est grande, mais pas autant que moi. Elle porte un jean, des Nike et un t-shirt coupé qui montre son ventre. Elle a les cheveux longs, des yeux brun foncé et n'a aucune trace d'acné. Je serais prêt à l'écouter toute la journée.

— Es-tu Mickey Sharp? demande-t-elle d'une voix douce et sombre, comme du chocolat de luxe. Je suis au bon endroit?

Je lui assure que si. J'espère ne pas avoir l'air surpris. Elle s'assoit sur une boîte et croise les jambes.

— Je m'appelle Madeleine Stone. Je suis venue te voir à propos de mon frère, dit-elle d'une voix rauque.

— Un moment, je lui dis.

Je suis si étonné d'avoir une cliente que j'en ai presque oublié de prendre des notes. C'est une des choses que font les détectives. Je l'ai vu à la télé. J'ouvre mon tiroir de bureau et j'en sors un carnet et un stylo. J'ouvre le carnet d'un coup de pouce.

— Raconte-moi toute l'histoire, lui dis-je. Prends ton temps et essaie de ne rien oublier.

Elle paraît impressionnée, ce qui me réjouit parce que c'est justement le but de la manœuvre.

— Mon frère, commence-t-elle.

Puis elle s'arrête. Elle regarde la remise. Je commence à percevoir les doutes qui lui traversent l'esprit.

— Tu sais ce que tu fais, n'est-ce pas ? dit-elle.

— Bien sûr, je réponds en essayant de paraître beaucoup plus confiant que je ne le suis.

— Comment une fille le saurait ? demande-t-elle en me fixant de ses sombres yeux bruns.

J'essaie de ne pas déglutir.

— Tu le sauras quand j'aurai résolu ton affaire. Mais je ne peux rien résoudre avant que tu ne m'en parles.

Je la regarde. Elle me regarde.

— Qu'est-ce que tu as à perdre ? je demande.

Mes paroles la convainquent. Elle hausse les épaules.

— Ton frère ? je lui rappelle.

— Je pense qu'il se fait intimider terriblement.

J'essaie de ne pas avoir l'air soulagé. J'ai réussi à lui faire parler de l'affaire.

— Pourquoi ? je demande.

— Il a changé. D'habitude, il était enjoué et amical, et maintenant, il ne fait que rester dans la maison et ne parle à personne. Il sort à peine de sa chambre et il semble toujours triste. C'est terrible.

— Peut-être que c'est seulement passager, dis-je.

C'est l'explication classique de mon père à propos du comportement de n'importe qui de moins de 18 ans.

Ma phrase ne passe pas la rampe avec Madeleine. Son visage se durcit tout à coup.

— Ne sois pas pitoyable, me crache-t-elle.

Elle commence à se lever. Je panique. Je ne peux pas la perdre maintenant.

— Quand ça a commencé ? je demande en vitesse.

Elle me jette un coup d'œil. Elle ne part pas, mais ne reste pas tout à fait non plus.

— L'intimidation, je lui rappelle.

Elle me fixe pendant ce qui semble un très long moment, puis se rassoit. Je pousse un soupir de soulagement. En fin de compte, je ne vais pas perdre ma première cliente.

— Environ six semaines après qu'il ait commencé à fréquenter l'école St. John's, dit-elle. Je sais qu'il lui arrive quelque chose de mal là-bas. Si tu le voyais maintenant, tu ne croirais pas à quel point il avait l'habitude d'être amusant. Il était si intelligent et...

— O.K., O.K.

Cette fois, je lui coupe la parole.

J'en ai déjà assez entendu sur les charmes évanouis de son frérot. Il semble être un de ces jeunes qui s'assoient dans la première rangée en classe et qui connaissent toujours toutes les réponses.

— Il y a d'autres signes qu'il se fait intimider ? je lui demande.

— Oh oui. Il a les bras couverts de gros bleus.

En disant cela, elle se penche et me touche le bras.

— Il t'a dit qu'on l'intimidait ?

Elle secoue la tête.

— Il ne parle plus à personne, mais je sais qu'on l'intimidait.

— Pourquoi tu n'en parles pas à tes parents ?

— Tu ne connais pas mon frère. Si je le disais à mes parents, il deviendrait fou de rage et nierait tout. Il est extrêmement têtu. Puis, de toute façon, mes parents sont toujours si occupés.

— Mais, s'il était victime d'intimidation... ils feraient sûrement quelque chose? lui dis-je.

— Ça te regarde? réplique-t-elle. Je pensais que tu faisais seulement ce que le client te demandait.

— D'accord. Comme tu veux.

Je recule et je lève les mains. Elle est vraiment susceptible, et je ne veux pas qu'elle s'enfuie.

Un silence s'installe. Après un moment, je le romps, sinon nous attendrions jusqu'à notre mort dans cette remise.

— Alors, qu'est-ce que tu voudrais que je fasse?

— Je voudrais que tu y mettes fin. Je veux que mon petit frère redevienne comme il était.

— Eh bien, je vais faire de mon mieux.

Elle semble se détendre en comprenant que j'ai accepté d'examiner l'affaire. Elle me dit le nom de son frère, où ils vivent, et elle tire de sa bourse une photo de lui qu'elle me tend. J'y jette un coup d'œil. Elle y est aussi. Je prends son numéro de téléphone.

Elle se lève pour partir. Nous n'avons pas encore parlé d'argent. Je prends une profonde inspiration.

— Je demande huit dollars par jour plus les frais.

Elle me fixe du regard pendant que son visage se durcit.

— Cinq dollars par jour, dis-je d'une voix faible.

— Mickey, dit-elle, je ne peux pas me permettre de payer ce prix maintenant, mais...

— Trois dollars, je propose.

Elle continue de parler.

— Je peux t'assurer que, si mon petit frère me revient comme il était, la personne qui l'aura sauvé aura droit à ma gratitude.

Elle me regarde de ses grands yeux comme si j'étais la personne la plus importante au monde.

— Toute ma gratitude.

Je sais que je devrais refuser. Je sais que je devrais insister pour qu'elle accepte de payer. Je sais que je devrais maintenir au moins un semblant de relation professionnelle. Mais, quand vous avez 14 ans et qu'il y a une belle fille dans votre remise, vous acceptez parfois alors que vous devriez refuser.

Après son départ, je me renverse contre le dossier de ma chaise et je pose les pieds sur le bureau. Il n'y a pas meilleure position pour réfléchir. Mais les profs ne comprennent pas ça. Vous vous penchez sur votre chaise, et tout de suite ils vous crient combien coûtent les chaises à l'école et à quel point vous allez les endommager. Posez les pieds sur le bureau et ils s'énervent encore plus. «Tu poses les pieds sur les meubles chez toi, Sharp?» Laissez-moi vous dire que c'est une question stupide. Tout le monde pose les pieds sur les meubles à la maison. Ils ne le font peut-être pas quand leur mère est dans la pièce, mais ils le font tous. Même les profs le font, mais ils ne l'admettront jamais.

Je regarde attentivement la photo. Je suis censé me rappeler à quoi ressemble le jeune, mais je passe plus de temps sur la moitié de la photo qui représente Madeleine. Elle a quitté la remise en me laissant plein de questions importantes. Pourquoi elle s'inquiète tant à propos de son petit frère? Est-ce qu'elle m'a dit la vérité sur les raisons pour lesquelles elle n'a pas raconté à ses parents ce qui lui arrive? Et qu'est-ce qu'elle pense des relations avec des garçons plus jeunes qu'elle?

Je sors soudainement de ma rêverie. Penser à Madeleine ne va me mener nulle part. Je regarde l'autre moitié de la photo. Son frère ressemble à tous les autres jeunes. Parfois, ce sont les jeunes à l'air bizarre qui attirent les brutes, les jeunes à lunettes ou à boutons, ou quelque chose du genre, mais il n'y a rien dans le visage du frère de Madeleine qui fasse croire qu'il puisse se faire intimider.

L'intimidation est une chose étrange. Vous brutalisez un jeune plus petit que vous et qui n'a aucune chance de riposter. Pourquoi? Qu'est-ce que ça prouve? Je n'y vois pas de réponse.

Mais ce n'est pas mon problème d'essayer de comprendre pourquoi des gens veulent en brutaliser d'autres. Je dois trouver si c'est ce qui arrive à ce jeune, qui fait ça et tenter de les arrêter. Je me dis que les deux premiers éléments ne devraient pas être trop difficiles. Tout ce que j'ai à faire, c'est de suivre le jeune et voir ce qui lui arrive. Les brutes ne brillent pas par leur subtilité et, si le jeune est couvert de bleus, quelqu'un doit en être responsable, et je n'ai qu'à me trouver là quand ça se produit.

Arrêter l'intimidation, c'est autre chose. Ça pourrait être délicat. La seule façon efficace d'arrêter une brute, c'est de devenir plus gros que lui ou de déménager.

Alors, vous êtes plus gros que lui ou vous vivez ailleurs, et il n'a pas d'autre choix que de vous laisser tranquille. J'ai l'impression qu'aucune de ces solutions ne constitue le début d'un bon plan.

Une fois, j'ai regardé un débat télévisé américain. Il y avait ce psychologue qui disait que nous devrions être désolés pour les brutes, parce qu'ils ont manqué d'amour, et tout ça, quand ils étaient petits et que c'est pour ça qu'ils sont devenus méchants. Ils brutalisent les autres parce que c'est ce qu'on leur a appris. Ce gars disait que, pour les arrêter, il fallait leur montrer qu'on se souciait d'eux. Si suffisamment de gens leur prouvent qu'ils se soucient d'eux, ils vont s'arrêter. Quand il a dit ça, tout le monde dans l'auditoire s'est mis à applaudir et à sauter, et le psy a souri comme s'il était le gars le plus intelligent du monde. J'aimerais bien le voir dire aux cinglés de mon école qu'il se soucie d'eux. Ils l'expédieraient à l'hôpital.

Toutes ces réflexions ne me rapprochent pas de la réponse à la grande question à savoir comment empêcher des gens d'en brutaliser d'autres. Je regarde ma montre. Il est presque 18 h 30. Je rentre dans la maison d'un pas nonchalant. Peut-être que quelqu'un de ma famille pourrait m'aider. Il doit bien y avoir une première fois à toute chose.

J'essaie plusieurs fois d'aborder le sujet pendant le repas. Le problème c'est qu'il est difficile de placer un mot. Ma sœur Karen et mon père ne s'accordent sur rien, et c'est pendant le dîner qu'ils le font. Ils se parlent à peine le reste du temps, mais ma mère insiste pour que nous mangions tous ensemble. « La famille qui mange ensemble reste ensemble », m'a-t-elle dit un jour. « La famille qui mange ensemble hurle ensemble » ressemble plus à ce qui arrive chez nous.

Aujourd'hui, ils parlent de leur sujet favori : le métier de mannequin. Mon père dépose son couteau et sa fourchette, ce qui signifie que nous allons avoir droit à une grande prestation.

— Qu'est-ce que pensent les gens ordinaires des mannequins ? Je vais te dire ce que les gens ordinaires en pensent. Ils pensent que ce sont des corps sans cervelle. Pourquoi ? Parce qu'elles ne disent jamais rien et qu'elles n'ont que des vêtements qui leur pendent sur le corps. Des cintres ambulants. C'est ça que tu veux devenir ?

Ma sœur veut devenir mannequin. Elle les houspille sans arrêt pour qu'ils lui donnent de l'argent afin de se monter un portfolio de photos, et alors elle cesse de manger. J'ignore pourquoi elle s'en préoccupe. Ils n'ont pas d'argent, et elle se tient n'importe comment. Elle marche le dos courbé.

— Comment tu sais qu'elles sont sans cervelle ? C'est seulement un préjugé.

« Préjugé » est un des mots préférés de ma sœur. Elle passe son premier examen de fin de scolarité en sociologie.

— Non. Quand as-tu entendu l'une d'elles dire quelque chose d'intelligent ? Elles parlent de maquillage et de vêtements. C'est tout.

— Tu ne peux pas le savoir, tu n'en as jamais rencontré.

— Et combien elles se font payer ? Des fortunes, alors qu'il se passe dans le monde des choses beaucoup plus importantes.

Mon père n'aime pas les gens qui gagnent beaucoup d'argent.

— Elles font des choses pour les bonnes œuvres, dit ma sœur.

— Se pavaner et adorer ça. C'est ce qu'elles font. Elles se préoccupent seulement de ce qu'elles voient dans leur miroir.

— Tu n'en sais rien.

— Calmez-vous, dit ma mère.

Elle aurait tout aussi bien pu parler au mur.

— Ne me dis pas ce que je sais ou ne sais pas, jeune fille, rétorque mon père en ignorant complètement ma mère.

Les choses vont maintenant se corser. Ma sœur réagit vivement au fait de se faire appeler ainsi.

— Je t'ai déjà dit de ne pas m'appeler comme ça.

J'aurais aimé qu'elle se taise.

— Personne ne me dit quoi faire dans ma propre maison. Est-ce que «jeune fille» est une insulte? Non. C'est une expression tout à fait raisonnable.

— Tu ne comprends pas.

— Ah non? Bien sûr que non. Je ne suis probablement plus dans le coup. Dépassé. Incapable de comprendre.

Mon père est souvent comme ça ces temps-ci. Il a perdu son emploi il y a environ deux ans et n'en a pas trouvé un autre depuis ce temps. Il n'a que 47 ans, mais il parle comme s'il en avait 100. Ça peut devenir vraiment ennuyeux des fois.

Le silence se fait autour de la table. Ils se sont essoufflés. Je décide de lancer rapidement ma question.

— Comment on empêche une brute de maltraiter quelqu'un ?

Personne ne répond. Je crois qu'ils pensent à leur réponse, mais mon père se lève et déclare qu'il va regarder les informations. Puis ma mère et ma sœur commencent à parler de l'ex-petit ami de ma sœur. J'abandonne et je monte à ma chambre.

Je vous ai présenté ma famille. Aussi utile qu'un manuel de français dans un cours de maths.

CHAPITRE 2

Le lendemain, je me lève tôt. Comme je vais suivre ce gamin, je devrai le faire à partir de chez lui, sinon je ne vais jamais le trouver. Je prends mon vélo et pédale jusque chez Madeleine. J'y suis à 7 h 45. Je surveille la maison. Elle est plus grande que la nôtre. Le jardin est un fouillis, et il y a deux autos dans le stationnement. C'est à peu près tout. Les maisons sont des choses ennuyeuses à surveiller, et 10 longues minutes s'écoulent lentement. Même le cours de géographie se déroule plus vite. Grand événement quand le laitier se pointe avec 3 litres au bout de 15 minutes. Ensuite le père sort, monte dans une des autos et part. Puis la mère.

Il est 8 h 20 maintenant, et j'en ai vraiment ras le bol. Je savais que ça n'allait pas être emballant mais, en ce moment, j'aimerais bien qu'il y ait un peu d'animation.

Aucun signe de Madeleine. J'ignore quelle école elle fréquente. Elle ne va certainement pas à la même école que son frère, parce que St. John's n'admet que des garçons. Je n'aimerais pas aller dans une école où il n'y a que des garçons. Les écoles sont des endroits passablement ennuyeux, et toute forme de diversité est la bienvenue. J'essaie de repérer sa chambre, mais je n'y arrive pas.

Je suppose qu'ils doivent être plus riches que nous. Non seulement leur maison est plus grande, mais ils ont deux autos. Nous n'en avons qu'une, et elle est toute déglinguée. Depuis que mon père a perdu son emploi, nous n'avons pas pu nous permettre beaucoup de nouveautés, mais je n'en parle pas parce que ma mère dit que ça déprime mon père. S'il n'est pas normalement déprimé, je détesterais le voir quand il l'est; alors j'essaie de me taire. Mais c'est dur des fois parce que je me mets sans y penser à parler de choses que j'aimerais avoir. Puis ensuite, je me sens nul. Des fois, je crois qu'il vaudrait peut-être mieux ne rien dire du tout.

Finalement, le jeune sort. Cheveux bruns, taille normale ; il est exactement comme sur sa photo sauf qu'il porte son uniforme d'écolier. Macauley Stone. On devrait interdire aux parents de donner des noms pareils à leurs enfants. Ça ne fait qu'attirer des ennuis. À mon avis, on devrait mettre sur certains noms d'enfants des avertissements comme sur les paquets de cigarettes. « Si vous appelez votre enfant comme ça, il va se faire traiter de tous les noms à l'école, de 5 à 16 ans, et il sera perturbé pour la vie. »

Mais les parents n'apprennent jamais. L'an passé, mon oncle et ma tante ont eu un bébé et ils l'ont appelé Sebastian. *Sebastian*. Nous sommes allés au baptême. Le bébé a hurlé sans arrêt. Probablement parce qu'il a entendu comment ils allaient l'appeler.

Ensuite, nous sommes retournés à la maison, et tout le monde s'émerveillait devant lui et lui tournait autour. Ils m'ont fait le tenir même si je ne voulais pas. Puis je l'ai regardé et je me suis senti triste pour lui. Il ne savait pas tous les ennuis qui l'attendaient dans la vie à cause de son prénom. Peut-être qu'il aurait de la chance et qu'il commencerait à utiliser son deuxième prénom avant qu'il soit trop tard, mais j'en doute.

En tout cas, je file Macauley, ce qui n'est pas trop difficile. À cette heure-là, il y a partout des jeunes en uniforme scolaire, si bien que je ne sors pas du lot. La seule chose qu'on ne voit pas sur sa photo, c'est sa démarche. Il ressemble à ces jouets électriques qu'on reçoit à Noël vers six ans, ceux qui se brisent au bout de trois jours. On y met des piles, on pousse le bouton «démarrer» et le voilà parti. Sa démarche est lente et maladroite, mais on sait qu'il va continuer d'avancer jusqu'à la fin des jours ou jusqu'à ce qu'il frappe un mur. Il y a quelque chose dans la démarche de Macauley qui me rappelle ces jouets. Il ne fait qu'avancer péniblement.

Alors, nous nous rendons à l'école, qui est située à une vingtaine de minutes de marche dans la direction contraire à la mienne. Et, pendant tout le trajet, je m'attends plus ou moins à ce que quelqu'un l'arrête, mais personne ne le fait. Je ne sais pas trop ce que je vais faire si quelque chose lui arrive. Je ne raffole pas vraiment de l'idée d'accourir à son secours; je suis un détective, pas un garde du corps; mais, malgré ça, je me sentirais plutôt mal de rester planté là et de le regarder se faire assommer. Heureusement, je n'ai pas à prendre de décision parce qu'il ne se passe rien. Nous arrivons à son école; il entre, et c'est tout. Ça ne me surprend pas vraiment. Si j'étais un gros jeune et que je harcelais un petit jeune, je ne me lèverais pas particulièrement tôt pour le faire. Il sera à l'école, n'est-ce pas? Je tourne sur mon vélo et je pédale comme un dingue pour arriver à mon école avant le début du premier cours.

J'arrive à l'école environ cinq minutes avant la fin de l'enregistrement des présences. Il faut être prudent quand on arrive en retard parce que parfois Walton se promène dans les couloirs. C'est le directeur, et un de ses passe-temps préférés c'est d'attraper les jeunes qui arrivent en retard. S'il vous attrape, il vous hurle dessus. Il adore hurler. «Sharp, il hurle, tu me rends malade, mon garçon», et il vous enfonce un doigt sur la poitrine. Ses doigts sont vraiment durs, et ça fait mal. On n'imaginerait pas qu'un seul doigt puisse faire si mal. Je pense qu'il s'exerce. Une fois, le père d'un jeune est venu s'en plaindre en disant que c'était une agression ou quelque chose du genre. Walton a dit qu'il soulignait un point à l'enfant et qu'il l'avait touché

accidentellement, ce qui est étrange parce qu'il repro-
duit le même accident depuis des années.

C'est pire quand il vous a attrapé auparavant, et
il m'a attrapé plusieurs fois. Après vous avoir hurlé
au visage et frappé de son doigt, il vous fait exécu-
ter une tâche pour lui. Il vous donne un sac poubelle
et vous fait ramasser tous les détritus dans la cour.
C'est un boulot dégoûtant. Je n'aime même pas penser à toutes les choses qui traînent dans notre cour
d'école, mais, quand les jeunes jouent au soccer, on
ne les voit pas beaucoup glisser pour arrêter leurs
adversaires.

Je verrouille ma bicyclette et entre par la porte
située près des salles de sciences. C'est celle qui est
la plus éloignée du bureau de Walton. Je croise quelques profs, mais ils ne disent rien. La plupart d'entre
eux ne réagissent pas à moins qu'il y ait une bagarre
ou quelque chose du genre. On ne peut pas le leur
reprocher. S'ils essaient de régler tout ce qui ne va
pas dans notre école, il ne leur resterait pas de temps
pour enseigner.

J'entre dans notre classe et je suis accueilli pas les
cris de «retenue» de la part des idiots dans la rangée

du fond. Les jeunes sont leurs pires ennemis. Plutôt que de nous soutenir, nous passons la majeure partie de notre temps à essayer de nous attirer des ennuis. Nous jouons seulement le jeu des profs.

J'ignore tous les cris et j'essaie de garder un air attristé pour M. Newman. C'est notre dernier professeur principal, le deuxième que nous ayons déjà eu cette année. Nous en avons eu cinq en tout. Certains jeunes disent que les autres ont fait une dépression, mais ils inventent ça. Tout ce que nous savons, c'est qu'ils sont seulement partis un matin et qu'il y en a un autre à leur place, et personne ne va vous dire pourquoi.

Newman a tenu le coup plus longtemps que je m'y attendais. Il est passablement jeune pour un enseignant. Il me jette ce regard au moment où j'entre. Je lui dis que je suis désolé. Il me répond que c'est la deuxième fois cette semaine et que mes excuses ne suffisent pas. Je lui dis que mon vélo a eu une crevaison. Quand je dis ça, toute la classe se met à crier à Newman que je mens et qu'il doit me garder en retenue. Avec des amis comme ça, on n'a pas besoin d'ennemis. Puis, Katie Pierce me donne le coup de grâce en disant :

— Monsieur, Mickey a dit qu'il avait eu une crevaison lundi. Je suis sûre qu'il ment.

Katie Pierce m'en a toujours voulu, et je n'ai jamais compris pourquoi. Le problème, c'est que je me rends compte qu'elle a raison, et ceci démontre que je ne suis pas concentré. N'utilisez jamais le même prétexte deux fois à l'intérieur d'une semaine, même si c'est vrai. Ça va toujours éveiller des soupçons. Newman me jette un de ses long regards comme pour dire : «Explique-moi ça alors, Sharp.» Je hausse les épaules.

Alors, il se lance dans son sermon sur la ponctualité, et comment c'est important et comment c'est la même chose que la politesse et comment vous devez vous discipliner pour arriver à temps parce que, si vous ne le faites pas, vous n'aurez jamais d'emplois. Toutes les sottises habituelles. Je vois bien qu'il n'y croit pas davantage que moi, mais j'incline la tête ici et là et je garde un air grave. Normalement, ça fonctionne.

Mais pas cette fois. Il me donne une retenue pour retard, ce qui provoque de grands hourras de la part des idiots du fond de la classe. C'est un problème parce que je veux suivre Macauley jusque chez lui pour voir si quelque chose lui arrive. Les retenues pour retard sont ennuyantes. Vous devez vous asseoir dans une classe pendant une demi-heure avec beaucoup d'autres jeunes qui étaient en retard et un directeur-adjoint. Personne n'a le droit de parler, de lire ou même de travailler. Je ne sais pas quelles leçons ils pensent nous donner, mais ça ne fonctionne pas très bien parce qu'on retrouve chaque soir les mêmes visages.

J'essaie de protester une dernière fois à M. Newman, mais ça ne donne rien ; alors je vais m'asseoir.

— Où étais-tu ? me demande Umair.

— Nulle part, je lui dis.

Il me regarde pendant une seconde, puis retourne à son magazine.

Il y a eu une époque où je lui aurais dit ce qui était arrivé, mais plus maintenant. Nous avons été de bons camarades, mais ça s'est arrêté. Ses parents lui ont dit de se tenir loin de moi ; alors nous ne nous voyons plus souvent. Umair étant ce qu'il est, il fait ce que ses parents lui disent. Nous nous assoyons ensemble pendant l'enregistrement des présences, mais c'est tout.

Ce n'est pas vraiment sa faute. Sa mère et son père le poussent à avoir de bonnes notes à l'école. Ils vérifient ses devoirs chaque soir et ils appellent à l'école à peu près deux fois par semaine pour s'assurer qu'il fait ce qu'il faut. Je deviendrais dingue si mes parents étaient comme ça, mais Umair s'en plaint à peine. Ils veulent qu'il devienne avocat. Ils ont déjà décidé quelle université ils voulaient qu'il fréquente. Pour y arriver, il faut que vous ayez des A dans toutes les matières. Une fois, j'ai dit à son père qu'il devait y avoir des manières plus faciles de parvenir à porter une toge, mais il ne m'a pas trouvé drôle.

En tout cas, un jour où ses parents étaient venus à l'école, un prof leur a dit que j'avais une mauvaise influence sur lui et que je le distrayais pendant les cours; alors ils lui ont interdit de me parler. Au début, je me suis dit que ce serait seulement pendant les cours et que nous nous verrions encore pendant la récréation, et tout ça, mais finalement ça ne s'est pas passé de cette façon. Il s'est joint au club d'échecs. Il y a beaucoup de choses que je ferais pour conserver une amitié, mais jouer aux échecs pendant chaque pause du midi n'en fait pas partie.

Alors, maintenant nous ne nous adressons plus la parole, sauf pendant l'enregistrement des présences et à peine, même à ce moment-là. Je crois que nous aimerions tous les deux changer de place, mais ni l'un ni l'autre ne le fait parce que ce serait admettre que nous ne sommes plus des amis. Mais, ce qui est sûr, c'est que nous ne nous assoirons plus ensemble à l'enregistrement des présences l'an prochain.

La sonnerie retentit, et tout le monde sort. Je rattrape Newman dans le corridor et j'essaie de le convaincre qu'il ne veut pas vraiment me mettre en retenue, mais il s'éloigne sans dire un mot.

À la fin de la journée, je me demande si je vais partir ou non. J'ai revu Newman à l'enregistrement des présences de l'après-midi. Je lui ai dit que je devais aller chez ma grand-mère pour tondre sa pelouse parce qu'elle était malade en ce moment. Il a éclaté d'un rire sarcastique et m'a dit qu'à son avis il l'aiderait à récupérer en m'empêchant d'aller la voir. Certains profs n'ont simplement pas de cœur.

Alors, je dois décider s'il vaut la peine que je parte. Si vous n'allez pas à une retenue de fin de journée, ils la doublent, et si vous n'y allez pas cette fois-là, ils appellent vos parents. Ils avaient l'habitude d'écrire, mais c'était trop facile d'intercepter les lettres. Alors maintenant ils téléphonent.

Je me décide en pensant à Madeleine. Il y a une multitude de retenues en ce monde, mais il n'y a qu'une Madeleine. Je décide que le fait de l'impressionner constitue ma principale priorité. Je sèche mon dernier cours, celui de français, ce qui ne me brise pas vraiment le cœur, et je pars pour l'école de Macauley.

Il est facile de sécher des cours. Il s'agit d'avoir l'air confiant. Vous passez directement par la porte principale, en ayant l'air de ne faire rien de mal, et ça va. Quand ils font l'école buissonnière, la plupart des jeunes se mettent à se cacher derrière les buissons chaque fois qu'ils voient un prof et ils rampent sur le ventre comme s'ils faisaient partie des commandos de l'armée, ou quelque chose du genre. C'est une perte de temps et c'est salissant. Et, en plus, si un prof vous voit plonger derrière une haie, il sait que vous préparez un mauvais coup, de telle sorte qu'il vient vous voir et découvre ce qui se passe. Il est beaucoup plus efficace de passer directement devant eux. Pratiquement personne ne vous arrête jamais mais, s'ils le font, vous dites seulement que vous allez chez le dentiste et, normalement, ça fonctionne. Sinon, vous êtes complètement coincé et vous pouvez envisager de passer le reste de votre vie en retenue. Je suppose que vous pourriez essayer de vous évanouir, mais vos chances seraient minces de vous en tirer. Remarquez que je ne sèche pas très souvent les cours. Si vous le faites trop souvent, les profs s'aperçoivent que vous n'êtes pas là puis, une chose en entraînant une autre, vous vous retrouvez assis dans le bureau de Walton, avec votre mère et votre père, et tous les trois vous crient en même temps en vous disant qu'ils perdent leur temps avec vous. C'est le genre de scène que j'adore rater. Mais sécher un cours une fois de temps en temps, ça va, d'habitude.

En tout cas, aujourd'hui tout se passe bien. Sauf que, au moment où je passe devant la dernière salle de classe avant la rue, je remarque que Newman y enseigne. Mais il ne me voit pas. Enfin, je suis presque sûr qu'il ne me voit pas.

Il est 15 h 15, et je me trouve à l'extérieur de l'école de Macauley, attendant de le suivre jusque chez lui. J'ai retiré ma cravate parce que l'uniforme du lycée de

Hanford n'est pas des plus populaires à St. John's. Ce sont des catholiques et pas nous; alors nous sommes censés nous frapper les uns les autres, ou quelque chose du genre. Je trouve que c'est stupide. Il n'y a pas beaucoup de problèmes ces temps-ci, mais est-ce que ça vaut la peine de les chercher?

Puis, le jeune sort, et nous repartons. Il se dirige vers chez lui avec un ami. Et c'est tout ce qu'ils font. Ils se séparent à deux rues de chez lui quand le compagnon de Macauley arrive devant sa maison, et c'est tout. Directement à la maison. Aucun arrêt. Aucune brute. Rien. Peut-être est-il alimenté par des piles. De toute évidence, Macauley est du genre à n'avoir qu'une idée en tête. Tout compte fait, j'aurais pu aller en retenue.

Je pédale jusque chez moi; je vais m'asseoir dans mon bureau et bois une canette de Coke. Puis j'en bois une autre. Une seule journée sur l'affaire, et une retenue, un cours séché et aucune piste. Le mot «réussite» ne me vient pas spontanément à l'esprit.

CHAPITRE 3

Le lendemain matin, je suis encore devant la maison de Macauley. Je ne pense pas que ça va me mener quelque part, mais je ne trouve rien d'autre à faire. Je n'ai rien à perdre. J'ai déjà une heure de retenue en fin de journée, et ils ne peuvent pas vous en donner davantage parce que c'est contre la loi, ou quelque chose du genre. Je le sais parce qu'une fois M. Barlow a essayé de mettre Katie Pierce en retenue, pendant une heure et demie, étant donné qu'elle avait saboté son diagramme de Venn pendant un cours de maths. Elle s'est levée devant toute la classe et a dit qu'il ne pouvait pas et que, s'il essayait, elle allait le dire à sa mère. La mère de Katie Pierce est une conseillère municipale et membre du conseil d'administration de l'école. Un jour, elle est venue nous dire pourquoi nous ne devrions pas fumer. Elle devient dingue chaque fois qu'un enseignant essaie de punir Katie. M. Barlow avait l'air vraiment contrarié mais, après le cours, il a rappelé Katie et il lui a dit qu'il avait décidé de la laisser aller cette fois.

J'attends depuis à peu près 20 minutes et je perds ma concentration. En réalité, je songe encore à Madeleine. Je n'arrive pas à oublier ses yeux. Tout à coup, je lève la tête, et il y a une voiture de police qui s'arrête près de moi. Je n'ai rien fait, mais je me mets à croire que j'ai fait quelque chose. C'est ça le problème avec la police. Aussitôt qu'ils s'intéressent à vous, vous commencez à penser que vous êtes un criminel. Il y a deux flics dans l'auto, et ils me regardent longuement. Puis l'un d'eux me fait signe d'approcher.

— Viens ici, fiston.

Je m'approche avec mon sourire le plus innocent.

— On nous a appelés pour nous dire que tu flânais dans le coin pendant les deux derniers jours. Tu veux nous dire pourquoi?

— Deux jours, dis-je en ayant l'air étonné. Je ne suis pas ici depuis deux jours.

— Ne fais pas l'idiot avec moi, fiston. J'ai passé la nuit debout et je ne suis pas d'humeur.

— Oh, pauvre vous, dis-je en essayant d'avoir l'air de sympathiser.

Le policier commence à rougir.

— Je suis resté debout toute la nuit parce que j'étais en devoir, et tu vas arrêter de faire le drôle.

— Désolé, je m'inquiétais pour vous.

Le policier rougit encore davantage.

— Écoute, garçon, je veux savoir ce que tu fais autour d'ici et je veux le savoir maintenant.

Je suis sur le point de le lui dire quand quelqu'un se met à crier derrière moi.

— C'est lui, M. l'agent, c'est le voyou qui se tient près de mon mur depuis deux jours.

Je me retourne. Il y a un vieil homme en peignoir qui vient vers moi en agitant une canne. Il doit venir d'abandonner son petit déjeuner parce qu'il a du jaune d'œuf sur le devant de son peignoir.

Il continue de me regarder, mais il crie à l'agent de police.

— Dieu merci, vous êtes arrivés à temps, sinon je ne sais pas ce qu'il aurait pu faire. Je suis sûr qu'il s'apprêtait à commettre un crime grave.

À l'évidence, le vieux regarde trop de polars à la télé.

— Vous avez du jaune d'œuf sur votre peignoir, lui dis-je avec obligeance.

— Tais-toi, me dit-il. Les enfants devraient se faire voir, mais pas se faire entendre.

Je lui fais remarquer qu'il pouvait me voir et ne pouvait pas m'entendre et qu'il a quand même appelé la police. Il commence à agiter sa canne devant mon visage quand je dis ça.

— Du calme, du calme, monsieur, dit le flic. Nous ne voulons pas que quelqu'un soit blessé, n'est-ce pas?

— Un homme doit défendre sa propriété contre les intrus, dit le vieillard. La maison d'un Anglais est son château.

Je fais remarquer que sa maison ressemble plus à un bungalow. Ça n'aide pas.

— M. l'agent, arrêtez ce vaurien et enfermez-le.

— Eh bien, je peux comprendre qu'il vous ennuie, monsieur, mais qu'est-ce qu'il a fait? demande le flic.

Il commence à donner l'impression qu'il souhaite-rait se trouver ailleurs.

— Il a vandalisé mon mur.

— Oh, dit le flic. Où ?

— Je ne le sais pas exactement. Je pensais que c'était votre travail de trouver des preuves. Moi, en tant que citoyen soucieux de l'ordre public, je ne fais que signaler le crime.

— Eh bien, je ne vois rien de vandalisé, monsieur.

— Vous n'êtes même pas sorti de votre auto. Sherlock Holmes n'a pas résolu tous ses crimes en res-tant assis dans une voiture de patrouille, vous savez, jeune homme.

— Vous n'avez pas besoin d'adopter cette attitude, monsieur, dit le flic.

Je commence à me sentir désolé pour lui.

— Pas besoin d'adopter cette attitude ? Pas besoin d'adopter cette attitude ? Je vous apprendrai, M. l'agent, que je suis président du Comité de surveillance du quar-tier. Je vais écrire au commissaire divisionnaire à propos de votre comportement. Et autre chose : cette voiture est une honte ; elle est sale et couverte de boue. Est-ce que c'est pour ça que je paie mes taxes ? Et à propos de...

Le vieil homme continue de hurler au visage du flic qui donne de plus en plus l'impression de souhaiter se trouver dans son lit. Après environ cinq minutes de récriminations incessantes, il s'arrête finalement pour reprendre son souffle.

— Excusez-moi, dis-je, je peux aller à l'école maintenant parce que nous avons un examen ce matin, et je ne voudrais pas le manquer?

Ce n'est pas tout à fait vrai, je sais, mais je dois dire quelque chose sinon je serai encore ici mardi prochain.

— Non, dit le vieil homme.

— Comment tu t'appelles? demande le flic.

Je le lui dis.

— D'accord, mon garçon. À l'avenir, tiens-toi loin de la propriété de ce vieil homme. Maintenant, va à l'école.

Je tourne les talons et m'éloigne rapidement. Derrière moi, j'entends encore les cris du vieillard :

— C'est tout ce que vous allez faire, M. l'agent?

Parfois, les adultes me désespèrent. J'ai pitié du jeune qui frapperait un ballon de soccer dans le jardin du vieil homme. Il risquerait probablement une poursuite pour avoir écrasé sa pelouse.

Je vois juste à temps Macauley qui disparaît au coin de la rue. Je pédale plus vite pour essayer de le rattraper. Aujourd'hui, je prévoyais essayer de lui parler. Il marche passablement vite, mais je finis par le rejoindre.

— Hé, je lui dis.

Il me regarde et incline la tête. Il ne dit rien.

— Tu vas à St. John's? dis-je.

— Ouais, il répond.

— Comment c'est?

— C'est une école.

De toute évidence, ce n'est pas un grand parleur.

— Ouais, je savais ça. Je me demandais seulement quel genre d'école c'était. Mes parents songent à me transférer là.

— C'est la même chose que dans toutes les autres, dit-il.

— Est-ce que ça joue dur?

Il hausse les épaules. Sa mère doit lui avoir bien entré dans la tête qu'il ne devait jamais parler aux étrangers. Il commence à marcher plus rapidement.

— Est-ce qu'il y a de l'intimidation là-bas?

Il se retourne et me regarde comme si j'étais la chose la plus idiote sur deux jambes. C'est une question stupide. Il y a des brutes dans chaque école.

— Eh bien, merci pour ton aide, je lui dis.

Je me sens complètement nul. Avoir l'air d'un idiot devant un jeune de 11 ans! Je m'éloigne de lui à toute vitesse sur mon vélo.

Je suis assis à l'enregistrement des présences juste après avoir reçu une autre retenue parce que j'étais encore en retard. Les imbéciles du fond de la classe adorent ça. Apparemment, Newman a encore un de ses mauvais jours. Les nouveaux profs sont comme ça. Vous ne savez jamais où vous en êtes avec eux. Une semaine, ils vous encouragent et, la suivante, ils se transforment en Gengis Khan. Ah, les profs. Si au moins ils faisaient toujours la même chose, vous auriez une idée à quel point ça pourrait mal aller pour vous.

Je me rends compte que les choses empirent. Deux retenues, un avertissement de la police, un vieil homme qui me menace de sa canne, sans mentionner un entretien pourri avec la présumée victime. Je suis à peu près le pire détective privé qu'on puisse trouver.

Je m'efforce de ne pas penser à ma conversation avec Macauley parce que ça me donne envie de disparaître, comme quand vos parents racontent à quelqu'un à quel point vous étiez mignon quand vous avez fait telle ou telle chose quand vous étiez bébé et que tout le monde vous regarde.

J'essaie de chasser ces pensées. Je lève les yeux et je vois la porte s'ouvrir sur Katie Pierce qui entre avec Julie Reece.

— Où étiez-vous passées? leur demande Newman.

Elles se contentent de l'ignorer et vont s'asseoir.

— Je vous ai posé une question.

Les élèves se calment. Il n'y a rien comme une bonne dispute pour commencer la journée.

— Pas de vos affaires, dit Katie Pierce.

Newman paraît vraiment fâché.

— Ne me parle pas comme ça, jeune fille. Où étiez-vous?

Katie Pierce bâille.

Newman s'approche de son bureau et la fixe du regard.

— Encore une fois, pourquoi êtes-vous en retard?

— Ce n'est pas ce que vous avez demandé la dernière fois, répond Julie Reece.

Katie Pierce éclate de rire, et toutes deux se tapent les mains l'une contre l'autre.

— Vous êtes toutes les deux en retenue, dit Newman, une demi-heure ce soir.

— Non, dit Katie Pierce. Le bus était en retard. Ce n'est pas notre faute.

— Vous devriez être à l'école à temps. Retenue.

— Ce n'est pas notre faute, crie Katie Pierce; alors nous n'allons pas en retenue.

Newman commence à rédiger leurs billets de retenue.

— Arrêtez tout de suite, hurle Katie Pierce.

— Tu ouvres la bouche encore une fois, et ça va aller très mal, dit Newman sans lever les yeux.

Katie Pierce se tait pendant une seconde. Même dans son cas, elle y va un peu fort.

Il y a un moment de silence, et tout le monde recommence à parler. Il semble que Katie ait été remise à sa place pour une fois. Je dois accorder mon respect à Newman pour ça. Peu de profs y réussissent.

Après deux ou trois minutes, Katie lève la main.

— Monsieur, je pense que vous êtes très injuste, fait-elle d'une voix soudainement tout en douceur. Ce n'est pas notre faute si nous étions en retard. Ma mère sera très en colère quand elle se rendra compte que je suis en retenue pour une chose qui n'était pas ma faute.

Katie balance son as. Sa redoutée mère est certaine d'être en mesure d'effrayer tous les profs du monde. Des fois, j'aimerais avoir une mère comme ça plutôt qu'une qui dit « si le professeur dit que tu semais le désordre, il doit avoir raison », comme fait la mienne.

Newman fixe de nouveau Katie. C'est l'instant critique, et tous les élèves le savent. Nous sommes déjà passés par là. S'il recule devant la menace de la mère de Katie, elle le tiendra en laisse pour toujours.

— Dis-lui de venir me voir. Je serai heureux d'en discuter avec elle.

Newman remporte le premier round. Katie donne l'impression de ne pas pouvoir y croire. Je commence à aimer ce prof. Les élèves se regardent les uns les autres en pensant qu'il va peut-être survivre le reste de l'année après tout.

Ce qu'il y a avec les élèves de ma classe, c'est qu'ils embêtent les profs. Les idiots du fond de la classe se lancent toujours des crayons, se frappent et lancent des objets à travers la pièce, et les filles comme Katie ou Julie prennent du plaisir à dire au prof à quel point il est pourri. Puis le prof se fâche et il devient horrible aux yeux de tous les élèves, et toute la classe se montre horrible à son tour, et la moitié du cours se transforme en une guerre totale. Je me contente d'observer la scène. Ça ne m'intéresse pas vraiment. C'était le cas auparavant, mais mettre les profs en colère devient ennuyeux après un moment; chaque cours n'est qu'une séance de hurlements. Le problème, c'est que personne n'apprend jamais rien. Ça va pour les idiots du fond qui s'en fichent, mais c'est nul pour quelqu'un comme Umair qui veut devenir avocat. Je veux dire, quand il va se retrouver en cour et qu'il sera confus à propos d'une chose, qu'est-ce qu'il pourra dire? «Je suis désolé, M. le juge, mais les idiots du fond me lançaient des crayons le jour où nous avons vu cette matière.»

Le problème, c'est que la seule personne qui puisse arrêter ça, c'est un prof. Si Umair se levait et disait : «Taisez-vous, je veux apprendre quelque chose», il serait considéré comme un lèche-bottes pour le reste de sa vie.

Tout à coup, Newman cric « Mickey Sharp ».

Il a un large sourire dédaigneux; alors je dois être dans le pétrin. Je recommence à le détester.

— Je vois que tu n'es pas allé en retenue hier. Pourquoi?

Quand il dit ça, les élèves poussent un grand « ah » comme si je venais d'être arrêté pour meurtre ou quelque chose du genre. Je lui dis que j'ai oublié. C'est un prétexte tellement nul que je me sens gêné de l'employer. Les idiots du fond deviennent vraiment excités.

— Vous ne pouvez pas le laisser s'en tirer comme ça, monsieur.

— La semaine dernière, j'ai dit que j'avais oublié, et vous avez dit que ça ne suffisait pas.

— Il n'a pas oublié.

Je pensais que les jeunes étaient censés être du côté des jeunes.

— Donnez-lui une autre retenue, monsieur.

— Donnez-lui deux autres retenues.

— Envoyez-le chez Walton.

— Suspendez-le.

J'ai déjà vu ce film. Ça se passait dans la Rome antique. Deux gladiateurs se battaient dans un immense stade et, quand un des deux était victorieux, il pointait son épée sur le cœur du perdant. Puis il se tournait vers la foule et lui demandait s'il devait le tuer ou non. Les gens dans la foule relevaient le pouce s'ils voulaient que le type vive et le baissaient s'ils voulaient qu'il meure. Je me sens comme devait se sentir le perdant en voyant les pouces se tourner vers le bas.

— Merci, tout le monde, dit Newman, mais je pense que je peux décider tout seul de la punition de Mickey. Je suis le professeur, et c'est moi qui suis le responsable.

Quand il dit ça, Katie Pierce pousse un soupir dédaigneux. Elle voulait qu'il l'entende, mais il l'ignore.

— Mickey, tu peux ajouter une demi-heure à ta retenue de ce soir parce que tu n'y es pas allé hier. Maintenant, tu vas avoir une heure ce soir pour exercer ton aptitude à te souvenir et une demi-heure lundi.

Les élèves lui adressent un grand hourra pour ça.

Ça commence à dégénérer. Si je veux avoir une quelconque chance d'aboutir quelque part dans cette affaire, je ne peux pas me permettre de perdre mon temps en retenue.

Je décide de m'en sortir. Tout ce que j'ai à faire, c'est de trouver une faille dans le système. Voici ce qui arrive : les profs mettent les billets de retenue dans une boîte dans le bureau de l'école. Puis, à la fin de la journée, le directeur-adjoint apporte la boîte avec tous les noms dans la salle de retenue pour vérifier si tout le monde y est. Si vous ne vous présentez pas, il fait une croix sur le billet, et ils doublent le temps de retenue ; et, si vous ratez celui-là, ils téléphonent à vos parents. Mon père se lance dans une de ses grandes prestations quand il entend dire que j'ai un problème à l'école. Pas d'argent de poche, pas de sorties, pas de télé : tout le paquet. Je peux m'en passer pour l'instant. Ce qu'il faut que je fasse, c'est retirer mon billet de la boîte avant la fin des cours. Ça ne devrait pas être trop difficile.

J'attends après la récréation pour m'assurer que M. Newman a eu le temps de glisser le billet dans la boîte.

Puis, après les 10 premières minutes du troisième cours, quand Mlle Hardy rougit jusqu'à la racine des cheveux au moment où un des jeunes lui demande comment on dit «je t'aime» en français, je lève la main et je me fais donner un mot pour aller aux toilettes. Ils n'aiment pas vous laisser sortir mais, si on les attrape au bon moment, alors ils répondent oui avant d'avoir compris ce que vous leur avez demandé.

Une fois que vous avez le mot en main, vous pouvez aller n'importe où. Je me rends directement au bureau de l'école.

Tout ce que j'ai à faire maintenant, c'est de m'organiser pour que la secrétaire sorte, mais ce sera plus difficile. Elle déteste vraiment bouger. Elle a à peu près 60 ans et elle s'assoit toute la journée dans son bureau à manger des chocolats, boire du café et faire semblant de dactylographier.

Alors, je cogne à son petit carreau. Elle me jette ce regard qui signifie qu'elle est vraiment occupée, ce qui est faux parce que tout ce qu'elle fait c'est choisir entre un chocolat à l'orange et un à la fraise. Elle soupire et ouvre le carreau.

— Oui.

Elle est vraiment charmante. Je prends un air le plus innocent possible.

— Mademoiselle, je voulais vous dire que je reviens des toilettes des garçons, près des classes d'art, et il y a des types là-bas qui ne sont pas de notre école.

— Comment tu le sais?

— Ils sont trop âgés.

— Pourquoi tu me le dis à moi? Pourquoi ne pas le dire à un professeur?

Elle marque un point, mais je suis prêt.

— Je suis allé au bureau de M. Walton, mais il n'est pas là.

— Qu'est-ce que je peux faire? demande-t-elle d'un ton fâché.

— Je ne sais pas, mademoiselle. Je vais retourner voir s'ils y sont encore.

Je pars en courant en lui laissant le problème sur les bras.

Je sais ce qu'elle va faire. Elle va me maudire pour avoir décidé de le lui dire et elle va essayer d'oublier l'incident. Mais elle va s'inquiéter au cas où ils feraient quelque chose et qu'on apprenait qu'elle était au courant de leur présence. On fait beaucoup de cas des étrangers dans notre école. Le directeur devient tout rouge à l'assemblée et menace d'expulser quiconque leur parle. C'est une grande gueule. La seule chose qu'il peut expulser, c'est de l'air.

Comme prévu, deux minutes plus tard, elle s'éloigne à pas lourds vers la salle du personnel pour trouver un prof qui ira vérifier. J'attends qu'elle disparaisse, me glisse par la porte, trouve la boîte, saisit mes billets et retourne en courant jusqu'à ma classe. Pas de problèmes.

Je me sens un peu plus joyeux après m'être débarrassé des retenues. Il n'y a rien comme contourner le système pour avoir une poussée d'adrénaline. Je m'étonne un peu en répondant à une question de français. J'ai tout faux, mais c'est toujours le cas. Si j'avais eu la bonne réponse, j'aurais commencé à m'inquiéter.

Alors, à la fin de la journée, je peux partir et suivre Macauley de nouveau. Je dois sécher un autre cours mais, dans notre école, les vendredis sont normalement consacrés aux mauvais comportements de toute façon. Je peux rater un vendredi après-midi à regarder détruire la confiance de notre professeur de musique.

Il est 15 h 15, et j'attends à l'extérieur de St. John's. Pour éviter d'attirer l'attention de la police, je ne m'appuie contre aucun mur. On ne sait jamais quand un vieil homme pourrait surveiller.

Les écoles sont toujours des endroits dangereux le vendredi. Vous gardez les jeunes dans une école pendant cinq jours de suite, et ils finissent par s'ennuyer. Ils se sentent comme les bulles dans une bouteille de Coke qui n'attend que d'être ouverte. Le vendredi après-midi quand la cloche retentit, c'est le bouchon qu'on enlève. Tournez le bouchon, et les bulles en sortent pendant quelques secondes, puis se calment. Mais, de temps en temps, elles explosent et vous éclaboussent. C'est pour ça que les profs paraissent nerveux les vendredis après-midi : ils attendent seulement pour voir si les bulles vont exploser.

On dirait que c'est un de ces après-midi dangereux ici à St. John's. Quelques jeunes plus âgés à l'air méchant flânent à l'entrée de l'école. Ils faisaient probablement partie de cette école avant. Je n'ai jamais pu comprendre pourquoi les jeunes plus âgés font ça. Ils sont probablement impatients de quitter l'endroit et, maintenant qu'ils en sont sortis, tout ce qu'ils font c'est de se tenir là et de jouer aux durs. Je dois dire que je m'écarte de leur chemin parce qu'ils le font de manière passablement convaincante.

Alors, la cloche sonne, et les jeunes commencent à sortir. Il y a quelques profs aussi, qui essaient de diriger les jeunes vers le portail, comme s'ils étaient des moutons ou quelque chose du genre. Un bruit retentit comme si quelqu'un avait allumé un feu d'artifice, et on entend quelques hourras, mais les profs les poussent à avancer.

Puis, tout à coup, une bagarre se déclenche dans la cour de récréation. On comprend tout de suite qu'il s'agit d'une bagarre parce que tous les jeunes s'élancent dans cette direction pour former un grand cercle en criant comme des fous. Mais les profs arrivent rapidement. Il y a ce gros bonhomme chauve qui joue du coude à travers la foule. Une femme s'approche aussi, et le cercle commence à s'ouvrir. Personne ne veut se faire attraper sur le lieu du crime. Puis le type chauve sort en tenant deux jeunes. Ils n'ont qu'à peu près 12 ans. Je suis toujours désolé pour les bagarreurs quand ils se font prendre, surtout quand ils sont petits ; ils ont toujours un air si pathétique, suspendus au bout des bras du prof.

Puis, juste au moment où je regarde les combattants se faire traîner jusque dans l'école, j'aperçois Macauley. Il avance de son bon vieux pas décidé, comme toujours, mais il y a quelque chose de différent chez lui. Il saigne du nez.

Je le laisse s'éloigner de l'école, puis je le rattrape.

— Hé, lui dis-je pour la deuxième fois de la journée.

Il ne répond pas, mais normalement vous ne voulez pas commencer à vous faire de nouveaux amis juste après avoir été battu.

— Nous avons discuté ce matin, tu t'en souviens?

Il penche la tête et accélère le pas.

— Hé, je veux seulement être amical.

C'est terrible. Je commence à parler comme un vieux vicieux. Puis je poursuis :

— Écoute. Qu'est-ce qui est arrivé? Tu m'avais dit qu'il n'y avait pas de durs à cuire à St. John's.

Il n'a pas dit ça, mais je suis prêt à dire n'importe quoi. Mais il ne mord toujours pas à l'hameçon. Il continue de marcher. De temps en temps, une goutte de sang tombe de son nez sur le trottoir.

— Allez, dis-moi ce qui t'est arrivé.

Il se retourne et me fixe exactement comme ce matin. Je peux lire sur son visage que nous n'allons jamais devenir des amis.

— Va-t'en.

Il tourne les talons et court vers chez lui. Je le regarde disparaître au loin, son sac lui battant les côtes tout au long du chemin.

Je ne vais rien pouvoir lui soutirer dans cet état. Alors, je tourne ma bicyclette et me dirige vers la maison. J'ai besoin d'un Coke.

Je suis assis dans la remise et j'essaie de réfléchir à ce que j'ai découvert. C'est peu. Je sais qu'à l'école quelqu'un bat Macauley Stone. Ça m'a coûté deux cours ratés, deux retenues (d'où j'étais absent), un avertissement de la police, et un vieux bonhomme m'a menacé avec sa canne. Et, en plus, Macauley refuse de me parler, et je ne suis pas plus près de trouver qui l'intimide. Pourquoi ma première affaire ne pourrait-elle pas être plus facile? Comme un meurtre ou quelque chose du genre.

Je réfléchis à ce que je devrais faire ensuite quand la porte s'ouvre et que Madeleine entre. On dirait que quelqu'un vient d'allumer un incendie en elle. Elle est furieuse.

— Quelle sorte de détective crois-tu être ? commence-t-elle. Je viens juste de voir le visage de mon frère, et il est couvert de sang. Tu étais censé arrêter ça et, plutôt, ça empire. Mes félicitations.

Je reste silencieux. Elle en a encore beaucoup à dire avant d'avoir terminé.

— Pourquoi je t'ai confié ce boulot ? De toute évidence, tu es incapable de te montrer à la hauteur de ta pub. Mon frère est en danger, et tu es assis là à boire du Coke. Eh bien, qu'est-ce que tu as à dire pour ta défense ?

Elle ferait une formidable prof.

Je secoue les épaules et dis que ces choses prennent du temps. Ça ne la convainc pas.

— Pendant que tu prends tout ce temps, mon frère se fait battre. Je veux que tu règles ça, et vite. C'est compris ?

Je me contente de la regarder, mais je suppose qu'elle considère s'être bien fait comprendre parce qu'elle sort en coup de vent sans dire au revoir. Elle claque la porte. La remise branle.

Je me demande si j'ai l'air d'un sac de frappe. Tout le monde que je rencontre semble vouloir me frapper.

Je pars dîner avec ma famille. Pour une fois, je suis content de les voir. Au moins, ils se critiquent surtout les uns les autres.

CHAPITRE 4

En me réveillant le lendemain matin, les choses ne me semblent pas si mal. Après le dîner hier soir, je me suis assis dans la remise en essayant de trouver quoi faire. Comment je vais découvrir qui intimide Macauley ? J'y ai réfléchi encore et encore. Réfléchir peut être vraiment difficile quand vous essayez de le faire pendant longtemps. Je n'ai rien trouvé et, en fin de compte, j'ai abandonné et suis allé au lit. Puis, juste au moment où j'allais m'endormir, la solution m'est apparue d'un coup. Je l'ai écrite au cas où je l'oublierais.

Et maintenant, il y a ce bout de papier près de mon lit sur lequel est inscrit le mot « infiltration ».

D'après mon père, on peut aller n'importe où dans un hôpital si on porte un sarreau, et on peut se promener partout au Parlement si on porte un beau complet et qu'on a à la main des documents qui paraissent importants. Dans ce contexte, si vous avez le teint blême et un sourire stupide, vous pouvez probablement présenter une émission de télé pour les enfants. Tout ce dont vous avez besoin pour entrer dans une école, c'est le bon uniforme.

L'uniforme de St. John's semblait passablement normal. Après avoir passé deux après-midis là-bas, je suis presque certain de ce qu'il me faut : un chandail gris avec col en V, une chemise blanche, une cravate striée rouge et blanc, des pantalons gris et des souliers noirs. J'ai la chemise, les pantalons et les souliers. J'ai besoin de la cravate et du chandail. Les cordes à linge semblent un bon endroit où commencer.

Deux heures plus tard, j'en suis moins certain. Quand j'étais plus jeune, je me rappelle que tout le monde semblait utiliser des cordes à linge. C'était bien pour y jeter de la terre. Maintenant tout le monde utilise des sécheuses. Le linge pue un peu, mais personne ne lance de la terre dessus.

Je vais devoir trouver l'uniforme ailleurs. Qu'est-ce que les gens font avec les vieilles cravates d'école? Je brûlerais probablement la mienne, mais tout le monde ne doit pas faire ça. Ils s'en débarrassent. Où est-ce que les gens se débarrassent des vieux vêtements? Dans les boutiques de bienfaisance.

Alors, je pars faire la tournée des boutiques de bienfaisance. L'Aide aux cancéreux ne sert à rien; Oxfam est tout aussi inutile. Save the Children, où je pensais trouver beaucoup d'uniformes scolaires, n'a rien non plus. Je me fatigue vite des boutiques de bienfaisance. Elles sont toutes pareilles : des vieilles dames qui vendent des livres que personne ne lira et des vêtements que personne ne portera.

Mais Cafod est mieux. J'y trouve sur un présentoir deux cravates de St. John's. J'achète celle qui sent le moins mauvais. La vieille femme en demande 1,50 $. Je lui dis que ma famille est très pauvre et que je ne peux y mettre que 0,75 $, mais elle ne bouge pas. Pour quelqu'un qui est censé être charitable, elle est dure en affaires. Je laisse tomber et je lui donne ce qu'elle demande, mais je m'assure qu'elle me remet un reçu. De quelle autre façon pourrais-je me faire rembourser mes frais par Madeleine ?

Maintenant, il ne me manque plus que le chandail. Un chandail gris avec col en V, c'est exactement le genre de choses que David aurait. Il vit à trois maisons de chez moi, et c'est le seul garçon que je connaisse qui choisisse des vêtements ressemblant davantage à un uniforme scolaire qu'un uniforme scolaire. J'arrête à la maison en chemin pour prendre un Coke en me disant que je vais faire un saut chez David plus tard. C'est une erreur.

Je m'apprête à quitter la cuisine quand ma mère m'attrape.

— Mickey, dit-elle, ta grand-mère est ici. Va lui parler.

C'est une nouvelle terrible, et j'essaie de m'en sortir.

— Je dois aller chez David. Il a des trucs dont j'ai besoin pour l'école. Je vais revenir très bientôt. Je vais la voir à ce moment-là.

Je ne pense pas avoir beaucoup de chance que ça fonctionne. Ma mère sait qu'elle ne va pas me revoir avant des heures.

— Vas-y maintenant et parle-lui.

— J'aimerais beaucoup, mais ce truc est important.

— Maintenant. Tu sais que tu es son préféré.

Il y a ce mythe qui circule dans notre famille d'après lequel ma grand-mère m'aime. En fait, elle ne m'aime pas du tout. Elle aime critiquer les gens, et je suis son préféré parce qu'elle a toujours quelque chose à me reprocher. Ça la réjouit vraiment.

J'entre au salon et lui dis bonjour.

Elle me dit que mes cheveux sont trop longs, que mes vêtements sont horribles et me demande quand j'ai pris un bain pour la dernière fois. C'est sa manière de dire bonjour.

Je lui réponds que je ne me souviens pas de la dernière fois que j'ai pris un bain. Je lui dis que je prends des douches.

Elle semble vraiment heureuse quand je lui dis ça. Elle me dit que les douches ne fonctionnent pas convenablement. Elle dit que je dois prendre au moins deux bains par semaine.

Je ne réponds pas.

Elle me dit de travailler plus fort à l'école, d'aider davantage ma mère dans la maison et de bien faire mes prières chaque soir.

J'incline la tête et je lui dis que je dois partir.

Elle me dit de faire plus d'exercice, de moins regarder la télé et de me joindre au mouvement scout.

Je quitte la pièce. Elle ne vous donne même pas d'argent comme les grands-parents qui se respectent.

Je sors en douce par la porte principale pour que ma mère ne m'attrape pas et ne me renvoie pas à ma chère grand-mère. Si vous êtes vraiment malchanceux, vous pouvez vous retrouver pris à jouer aux cartes avec elle. Ça peut durer des heures.

Je me rends chez David. Son père me dit qu'il est dans le grenier avec ses trains. Ça n'a rien d'étonnant. David vit pour ses trains ; il les collectionne depuis qu'il est tout petit. La voie ferrée fait le tour du grenier à peu près quatre fois. Je n'ai jamais compris quel attrait ça pouvait avoir.

Je grimpe les marches et passe la tête par la porte du grenier.

— Salut, dis-je.

— Pas maintenant, réplique-t-il sans me regarder. Mon train du centre-ville vient de dérailler. Il pourrait y avoir des blessés.

— Je ne suis pas pressé, lui dis-je en pénétrant dans le grenier.

Il ne faut jamais s'attendre à de l'hospitalité quand un train a déraillé.

J'essaie d'ignorer le fait qu'il a commencé à porter une casquette, qu'il a un sifflet pendu au cou et un drapeau vert dans la main. Même si j'ai vraiment besoin d'un service, je ne vais pas pouvoir trouver quoi que ce soit de poli à dire à propos de ça.

Il déplace ses trains ici et là et secoue la tête sans arrêt. C'est la seule personne que je connaisse qui puisse entendre parler d'un accident de train, dans lequel un tas de gens sont blessés, et se sentir désolée pour le train.

Finalement, tout semble se remettre à fonctionner, et il paraît un peu plus détendu.

— On dirait que ça va mieux, dis-je.

Il secoue la tête.

— Cet accident a tout chamboulé mon horaire. Il faudra qu'il y ait une enquête.

Je lui balance rapidement ma question.

— Tu as un chandail gris à col en V?

— Je ne sais pas.

— Tu peux aller voir?

— Essaie dans ma chambre.

Je redescends et me rends à sa chambre. Les murs sont couverts d'images de trains. Même sa couverture en duvet en est imprimée. Il y a de vieux horaires de British Rail sur sa table de chevet. Je parierais qu'il n'a pas trop de mal à s'endormir. Je fouille dans son placard et trouve trois chandails gris à col en V. Trois. Il a moins d'imagination que je ne pensais. Je les essaie et je choisis celui qui me va le mieux.

Je retourne au grenier. David joue toujours mais, cette fois, il me remarque.

— Tu seras ravi d'apprendre que l'enquête m'a exonéré de tout blâme. Pas du tout question d'une erreur humaine.

— C'était rapide.

— J'espère que tu ne laisses pas entendre qu'il y a eu une tentative pour étouffer l'affaire.

— Pas du tout. Je crois absolument en la décision.

— Tu as trouvé le chandail que tu cherchais?

— Ouais. Je peux l'emprunter ?

— Ça dépend.

— De quoi ?

— Ça dépend si je peux t'emprunter.

— M'emprunter ?

— Il y a un encan de vieux souvenirs de British Rail demain. J'ai besoin que quelqu'un vienne avec moi pour m'aider à transporter à la maison les choses que je vais acheter.

— Oh.

— Tu vas t'amuser. Je vais te faire découvrir un tout nouveau monde.

Je ne veux pas découvrir un tout nouveau monde, mais je n'ai pas le choix. Je lui donne rendez-vous à l'extérieur de chez moi à 10 h.

Le lendemain, je passe une des pires journées de ma vie. Des trains, des trains et encore des trains. David retourne chez lui heureux. Je reviens chez moi décidé à prendre l'autobus.

Pour passer le temps, je lui demande comment il pense qu'on peut empêcher des brutes d'intimider des gens. Vous savez ce qu'il me répond ? « Achète-leur un ensemble de trains. » David n'est jamais d'une grande utilité quand il s'agit de questions difficiles.

J'en ai ras le bol quand je reviens à la maison. David a acheté un tas de trucs, et j'ai dû transporter tout ça. Il met de côté tout son argent de poche pendant six mois, puis le dépense en une seule journée pour des trucs de trains. Puis, quand il a fini d'en acheter, il faut qu'il parle des trains à un tas d'autres gens. C'est ça le problème avec les fanatiques des trains. Vous vous dites qu'il ne peut y en avoir beaucoup plus, mais vous vous rendez à un encan comme celui-là et vous découvrez qu'il y en a des centaines et des milliers, et qu'ils sont tous aussi dingues les uns que les autres. Évidemment, David adore chaque minute qu'il y passe, et c'est impossible de l'en faire partir. En fin de compte, je dois le menacer de jeter tous les trucs qu'il a achetés et de partir à la maison sans lui. Ça fonctionne.

Quand je reviens chez moi, c'est l'heure du dîner. Ma mère prépare son énorme rôti du dimanche, et ma grand-mère vient. Quand vous ajoutez ma grand-mère à ma famille, les querelles empirent.

Au moment où nous sommes tous prêts à commencer à manger, mon père entre.

— Bien, dit-il, j'ai décidé qu'il va y avoir des changements ici.

Ma mère lui jette un regard étrange, mais il ne semble pas le remarquer.

— J'ai réfléchi à propos de nous, poursuit-il, et j'ai décidé qu'il fallait que nous devenions davantage une famille. Il semble qu'on ne fasse plus rien ensemble. Sauf à l'heure des repas, nous ne nous voyons pratiquement plus.

La raison pour laquelle nous ne passons pas de temps ensemble, sauf pendant les repas, c'est à cause de ce qui se produit pendant les repas. Nous nous querellons.

— Je pense qu'à partir de la semaine prochaine, nous devrions commencer à aller à l'église ensemble. La religion fera de nous une famille plus unie, dit-il.

Cette nouvelle ne m'enchante pas trop, et je peux constater d'après le visage de ma mère qu'elle non plus n'est pas très heureuse. Je n'aime pas l'église. C'est ennuyant. Il y a des années, nous allions à l'église tous les dimanches, mais nous avons arrêté. Maintenant, nous n'y allons qu'à Noël parce que ma mère aime les chants. Ça ne me dérange pas d'y aller à ce moment-là parce que je me dis que, si je reçois des cadeaux et tout ça, je dois faire quelque chose d'ennuyeux pour les mériter.

Personne ne dit quoi que ce soit parce que mon père est dans une de ses périodes de mauvaise humeur. C'est comme s'il cherchait à tout prix à déclencher une querelle, et alors il arrive avec une quelconque idée que tout le monde déteste pour qu'on argumente avec lui à ce propos, de telle sorte qu'il puisse crier. L'année dernière, je me faisais prendre et je commençais à discuter avec lui, mais ça ne sert à rien avec mon père parce que, si je gagne, il peut quand même m'envoyer dans ma chambre pour avoir été impertinent.

Mais il semble que personne ne soit d'humeur à argumenter parce que tout le monde se tait. Finalement, ma grand-mère dit :

— Je pense que c'est une très bonne idée. Peut-être que, si nous sommes plus religieux, quelqu'un devrait dire un bénédicité avant de commencer le repas.

Elle me regarde en disant cela parce que j'ai déjà la bouche pleine. Je dépose mon couteau et ma fourchette.

Mon père marmonne quelque chose à propos de remercier Dieu pour la nourriture que nous avons, puis il commence à manger. J'ignore pourquoi nous remercions Dieu parce que c'est ma mère qui a gagné l'argent pour l'acheter.

Personne ne dit un mot pendant tout le repas. Je pense que je préférais les querelles.

Ensuite, je me faufile jusqu'à ma remise pour éviter ma grand-mère. J'y suis depuis une dizaine de minutes à tranquillement écouter de la musique quand on frappe à la porte.

C'est ma sœur.

C'est vraiment étrange parce qu'elle ne vient pratiquement jamais ici. Nous ne nous parlons pas beaucoup ces temps-ci. Elle a deux ans et demi de plus que moi et elle me le dit chaque fois que nous nous disputons. Elle semble croire que, parce qu'elle est plus âgée que moi, cela signifie qu'elle a raison. Je trouve ça stupide. Si on voyait les politiciens aux informations criant «J'ai raison parce que je suis plus âgé que vous», personne ne les croirait; alors pourquoi je la croirais? Une fois, je lui ai dit ça, et elle a répondu :

— Mickey, tu ne comprends pas. J'ai 17 ans et j'ai beaucoup plus d'expérience que toi.

C'est des sottises aussi. La seule chose qu'elle ait faite et que je n'ai pas faite, c'est d'aller camper une semaine au pays de Galles avec ses amies.

Elle entre et semble ne pas savoir quoi faire. Il est évident qu'elle veut dire quelque chose, mais on dirait qu'elle ne sait pas comment l'exprimer. Je lui laisse un peu de temps.

C'est drôle comment nous avons arrêté de nous tenir ensemble. Quand nous étions plus jeunes, nous jouions à toutes sortes de trucs. Puis, quand elle a atteint une douzaine d'années, elle a arrêté de vouloir faire quoi que ce soit qui la fasse courir ici et là. Elle restait dans sa chambre et jouait avec du maquillage et essayait différents vêtements. À cette époque, elle ne savait pas vraiment ce qu'elle faisait avec du rouge à lèvres et des trucs comme ça. Elle sortait de sa chambre en ressemblant à un panda avec de grands cercles bleus autour des yeux. Elle s'est améliorée depuis. Et ses amies venaient, puis, chaque fois qu'elles me voyaient, elles éclataient toutes de rire ou disaient :

— Aaah regardez, c'est le petit frère de Karine. Il n'est pas mignon?

Je n'aime pas trop que les gens disent qu'ils me trouvent mignon, si bien que je m'assurais de ne pas les rencontrer. Puis, sans que je m'en rende compte, nous n'étions plus des amis. Maintenant, nous nous querellons parfois parce qu'elle est toujours de si mauvaise humeur, mais nous essayons surtout de nous éviter.

Finalement, elle laisse tomber sa question.

— Tu crois que papa va bien?

— Je ne sais pas, dis-je. Il semble de plus en plus bizarre.

Je ne sais plus quoi dire à propos de mon père. En fait, je n'aime pas beaucoup penser à lui.

— Il a arrêté de chercher un emploi, dit-elle.

— Oh, je dis.

Il y a un moment de silence, puis elle se retourne et se dirige vers la porte. Je n'ai pas l'impression que tout ça va finir par une conversation. Elle ouvre la porte, puis elle semble changer d'idée et la referme.

— Mickey, dit-elle. Je peux te poser une question?

— Bien sûr.

— Tu n'en parleras à personne?

Je secoue la tête.

Elle regarde le plancher.

— Me trouves-tu grosse?

Après tout ce suspense, je m'attendais à quelque chose de vraiment important, et c'est seulement ça. C'est une question vraiment idiote aussi. Ma sœur est une des filles les plus maigres que je connaisse. Elle suit toujours des régimes et fait ce dont ils vous parlent dans les magazines. Et elle ne mange jamais beaucoup. Je mourrais de faim si je mangeais aussi peu qu'elle. Ma mère n'arrête pas de lui en parler, mais Karen dit qu'elle a vraiment peu d'appétit.

— Non, dis-je. Pas du tout.

— Vraiment? fait-elle. Pas même comme ça?

Elle se tourne pour que je la voie de profil. Elle le fait en hésitant. Elle doit penser qu'elle va tout à coup paraître incroyablement grosse comme ça arrive devant ces étranges miroirs dans les foires. Elle paraît encore mince.

— Non, dis-je, tu n'es pas grosse. Tu es vraiment mince.

— Je ne sais pas, dit-elle. Des fois je pense que si je pouvais seulement me débarrasser de quelques kilos sur les fesses.

Je détourne les yeux. Je n'aime pas entendre ma sœur parler de ses fesses. J'espère que je ne vais pas devoir l'écouter déblatérer au sujet des régimes. Ma sœur et ses amies n'arrêtent pas de parler de leur poids comme si c'était la seule chose qui ait de l'importance dans le monde. Elles parlent des supermannequins et elles disent : «Elles sont si minces», comme si elles avaient fait quelque chose de vraiment renversant juste en étant minces. Ce n'est pas comme si elles avaient sauvé le monde ou compris les temps au passé en français.

— Tu voudrais me rendre un service, Mickey? dit-elle.

J'incline la tête. Je n'ai rien de mieux à faire. J'espère seulement que ça n'a rien à voir avec les calories.

— Tu prendrais quelques photos de moi? Je veux m'exercer à paraître bien.

Alors, avec le vieil appareil photo de mon père, je passe l'heure suivante à prendre des photos d'elle. Ça va. Au début, elle est vraiment sérieuse quand elle me dit comment elle veut paraître, et tout ça, mais après un moment elle se calme et me laisse seulement essayer de faire de mon mieux. Je n'ai jamais pris beaucoup de photos auparavant, mais je crois que je commence à saisir la manière de faire.

À la fin, nous nous amusons seulement à prendre des photos idiotes dans le jardin. Ça m'empêche de penser à toutes sortes de choses. Je la laisse même prendre quelques photos de moi, et c'est une chose que je n'aime vraiment pas beaucoup. Je pense que c'est parce que, quand nous étions plus jeunes et que mon père avait l'habitude de prendre toutes ces photos, il criait toujours « Souriez, souriez », et il ne pressait pas le bouton avant que vous n'ayez un sourire tellement large que vous pensiez que votre visage allait se briser. Puis, quand les photos sortaient, j'avais l'air d'un idiot souriant. Jetez un coup d'œil aux albums de mon père. On jurerait que notre famille n'a jamais fait autre chose que sourire sans arrêt.

Je m'assure de paraître sérieux sur une des photos. Il y aura alors au moins une photo de moi dans le monde sur laquelle je n'ai pas l'air d'un idiot.

En fin de compte, nous passons tout un rouleau de pellicule. Je le sors de l'appareil, et Karine prend une nouvelle pellicule, mais elle décide de ne pas l'utiliser.

— Je te le donne, me dit-elle. Merci de m'avoir rendu ce service.

— Et papa? dis-je. C'est son appareil.

— Il ne s'en sert plus, réplique-t-elle.

Elle a raison. Il n'a pas pris de photos depuis des années.

Elle me remet le rouleau de pellicule et la caméra, et se dirige vers la maison. Elle se retourne en atteignant la porte arrière.

— Ça pourrait t'être utile, fait-elle. J'ai entendu dire que tu étais un détective ces temps-ci.

Je suis vraiment surpris quand elle dit ça. Je pensais que personne ne le savait dans ma famille. Je ne leur en ai pas parlé parce que j'étais pratiquement certain que ça ne les intéresserait pas.

Le problème, c'est que ça me rappelle ce que je dois faire demain. Si je veux devenir un bon détective, c'est demain que je vais devoir le démontrer. Faire de l'infiltration me paraissait une formidable idée samedi matin mais, maintenant que je vais vraiment devoir le faire, j'en suis moins sûr. J'ai l'impression qu'il y a une multitude de choses qui pourraient mal tourner.

CHAPITRE 5

C'est le lundi matin et le retour à l'école mais, pour faire changement, je pars vers une autre école. J'avale mon déjeuner en vitesse, attrape mon sac d'école plein à craquer et je souhaite une bonne journée à ma mère. Elle me regarde d'un drôle d'air. Peut-être que d'habitude je ne lui souhaite pas une bonne journée. Je descends notre rue comme un fier élève de Hanford High. Dix minutes plus tard, après un petit détour par un terrain vacant, je reviens sur la rue comme un élève bien vêtu de St. John's. Mon idée, c'est d'entrer dans l'école, me cacher dans les toilettes pendant les cours et suivre Macauley à la récréation et au déjeuner pour voir qui lui cause des ennuis. J'ai l'impression que mon idée est à toute épreuve. J'ai laissé mon vélo à la maison parce que j'ignore s'il serait prudent de l'amener à St. John's. J'ai dégonflé un des pneus pour pouvoir dire que j'ai eu une crevaison si mes parents commencent à poser des questions embêtantes.

J'arrive à St. John's juste avant que la cloche sonne et me promène dans la cour avec l'air de n'importe quel jeune un lundi matin, c'est-à-dire déprimé. À cette heure, personne ne s'intéresse à quiconque; alors je n'attire pas l'attention. J'aperçois Macauley qui franchit le portail environ cinq minutes après moi. Je détourne les yeux. Je ne veux pas qu'il sache que je suis ici.

La sonnerie retentit, et les jeunes commencent à entrer dans l'école. Je suis la foule et je me mets à chercher les toilettes. Dans près de trois minutes, les corridors seront déserts, tous les jeunes se trouvant dans leurs classes. Je vais avoir besoin d'un endroit où me cacher.

Une minute s'écoule. Je ne vois aucun signe indiquant les toilettes. J'accélère le pas. Je n'en vois toujours pas. Une autre minute s'écoule. Déjà, les corridors se vident à mesure que les jeunes entrent dans leurs classes. Très bientôt, je vais me retrouver seul dans le corridor. Je commence à marcher vraiment rapidement, mais le problème, c'est d'être encore une fois comme le petit nouveau de l'école — c'est vraiment facile de se perdre. Il se pourrait que je tourne en rond, traversant toujours les mêmes corridors. Presque tous les élèves sont en classe maintenant, et je n'ai toujours nulle part où aller. Dans une dizaine de secondes, je vais devoir répondre à certaines questions difficiles. Je tourne dans un dernier corridor. Je cours presque, maintenant. J'aperçois une porte rouge sur laquelle est inscrit « GARÇONS ». Je n'ai jamais été aussi heureux de voir des toilettes. Je ralentis et je jette un coup d'œil autour pour voir si aucun prof ne surveille. Personne en vue. Je pousse sur la porte. Elle est verrouillée.

J'essaie encore dans l'espoir qu'il puisse survenir un miracle. Elle reste verrouillée. Je me retourne. Le corridor est désert. Je repars dans la direction d'où je suis venu. Mon seul espoir c'est de continuer d'avancer, de donner l'impression que je sais où je vais. Je tourne un coin. Je suis vraiment perdu maintenant. Peut-être qu'il y a d'autres toilettes. Je suis désespéré.

— Toi, mon garçon !

Une voix tonitruante se fait entendre derrière moi. Je continue de marcher en espérant qu'elle ne s'adresse pas à moi.

— Ne t'avise surtout pas de t'éloigner quand un professeur te parle.

C'est moi. Je m'arrête et me retourne. Debout, à l'extrémité du corridor, il y a un énorme prof avec une barbe qui ressemble à un père Noël louche.

— Tu sais quelle heure il est? me crie-t-il. Tu devrais être en classe maintenant.

Je baisse les yeux.

— Ne traîne pas, mon garçon. Tu as perdu assez de temps comme ça. Entre en classe. J'espère que tu auras une retenue.

Je devrais appeler le Livre des records Guinness. Je serai le seul jeune à avoir des retenues dans deux écoles en même temps.

Je tourne les talons et je continue le long du corridor. Si je peux tourner le coin, je pourrai courir. Mais les choses ne seront pas si faciles. Le corridor se termine sur un cul-de-sac.

Je me dis que je n'ai pas beaucoup de choix. Je ne peux pas revenir sur mes pas avec le prof derrière moi et je ne peux pas traverser les murs. Je prends une profonde inspiration et j'entre dans la classe la plus proche.

Il y a un prof assis au bureau qui écrit dans le registre. Il lève les yeux en me voyant entrer.

— On ne t'a jamais dit qu'il fallait frapper? fait-il.

Mon cœur palpite dans ma poitrine. Je ne suis pas vraiment concentré et je ne comprends pas ce qu'il dit.

— Quoi?

— Je t'ai demandé si on t'avait déjà dit de frapper. C'est une vieille tradition de politesse qui semble s'évanouir rapidement du comportement des jeunes membres de notre société. Frapper à une porte avant de l'ouvrir, tu te souviens?

Il me regarde. Je pense que je dois lui paraître lent d'esprit parce qu'il se contente de secouer la tête et dit:

— Oublie ça. Qu'est-ce que tu veux?

Je ne sais pas quoi dire; alors je ne dis rien. Les élèves commencent à rire. Je me sens vraiment génial.

— Je devrais le dire plus lentement. Qu'est-ce... que... tu... veux...?

C'est un de ces profs sarcastiques. Les élèves rient de plus belle. Il faut que je dise quelque chose. Je regarde autour de moi et je dis la première chose que je vois :

— Papier.

Il a l'air perplexe.

— Quoi?

— Mon professeur m'a demandé de venir emprunter du papier.

Il me regarde d'un air soupçonneux. J'essaie d'avoir l'air stupide et innocent en même temps. C'est ma seule chance. Il se penche, prend une pile de papier A4 et me la tend.

— Voilà. La prochaine fois, frappe à la porte quand tu entres dans une classe.

Je prends les feuilles et sors de la classe en priant pour que l'énorme prof soit parti. Le corridor est vide.

J'ai l'impression que je viens de courir un marathon. Mon cœur bat la chamade. Il faut que je me cache. Je reviens sur mes pas. J'ignore où je vais, mais il faut que j'aille quelque part. En passant devant les toilettes je donne un coup de pied dans la porte, juste au cas où. La porte bouge. Je la pousse. Elle s'ouvre. Peut-être qu'ils les déverrouillent aussitôt que tous les jeunes sont en classe et ne peuvent plus les utiliser. C'est tout à fait eux. Probablement qu'ils les verrouillent à nouveau avant la récréation. J'entre à toute vitesse dans une cabine et je claque la porte. Un sanctuaire.

Alors, je reviens à mon plan et je m'assois pour attendre. La récréation ne sera probablement que dans une heure ; alors j'ai du temps à perdre. Je regarde les graffitis. J'y vois surtout le contenu habituel : jurons, équipes de soccer et sexe. Je n'ai jamais fait de graffitis. Je ne vois pas à quoi ça sert. À l'école, tous les jeunes connaissent les jurons ; alors qui est-ce que vous impressionnez en les écrivant sur le mur ? En particulier quand la moitié des jeunes ne peuvent même pas épeler les mots qu'ils écrivent. Peut-être que les profs devraient enseigner comment épeler les jurons. Après tout, la moitié des jeunes à l'école les utilisent plus souvent que n'importe quoi d'autre.

Les équipes de soccer suscitent seulement des querelles. Un jeune a écrit QPR sur le mur. Puis un autre jeune a écrit en dessous « sont nuls ». Puis un autre jeune a ajouté en dessous « mais pas autant que Chelsea ». Puis encore un autre biffe « Chelsea » et inscrit « Arsenal ». Puis un cinquième ajoute « PAS ! » à la fin. Et finalement, un autre a biffé le « QPR » et écrit à la place «Liverpool». Ce n'est même pas comme s'ils faisaient passer leur message.

Mais les plus bizarres de tous ces graffitis concernent les inscriptions sur le sexe. Certains jeunes écrivent leur nom et celui de leur petite amie sur une porte de toilette. Dans cette toilette, vous avez un «Cornell et Carly» et un «Luke et Maria». C'est triste. Tout ce que vous faites, c'est de vous assurer que tous les jeunes pensent que vous sortez ensemble quand ils font leurs besoins. Pourquoi les gens veulent-ils ça? Je ne sais pas. Si jamais une fille inscrivait mon nom dans une toilette, ce serait la fin. Ça ne risque pas d'arriver de sitôt.

Puis il y a les graffitis incompréhensibles. La plupart sont des tags. Un tag, c'est le nom d'un jeune en graffiti. Une foule d'entre eux en ont. Un jeune de ma classe du nom de Darren Watson signe Dr Zoom partout dans l'école. Je suppose qu'il pense que ça le rend plus intéressant, mais ce n'est pas le cas. Il l'écrit en lettres vraiment sophistiquées; alors c'est difficile à lire. Mais il y met vraiment beaucoup d'ardeur, et ses tags sont partout. Le directeur s'est mis en rogne à propos de ça. Il a dit que, s'il découvrait qui était

Dr Zoom, il l'expulserait. Comme je l'ai déjà dit, notre directeur menace toujours d'expulser les jeunes de l'école. Je me dis qu'il serait heureux de diriger une école sans enfants puisqu'il semble tellement nous détester tous. Mais, en fin de compte, ils ont attrapé Darren parce qu'il s'exerçait à inscrire son tag à l'endos de son manuel de maths. Ils ne l'ont pas expulsé, mais il a passé une semaine à laver et repeindre les murs. Maintenant, tout le monde l'appelle le Concierge. Il ne s'attire plus le respect.

Il y a aussi cet énorme graffiti à côté de moi. Il dit : « C'EST PAYANT DE PAYER LES PROFESSIONNELS. » Je n'y comprends rien.

Il ne se passe pas grand-chose pendant que je suis enfermé dans les toilettes. Je peux entendre des jeunes entrer et sortir de temps en temps. Je garde la porte verrouillée et j'attends. Chaque fois qu'un d'entre eux entre, je lève les pieds pour qu'il ne puisse pas voir qu'il y a quelqu'un là s'il regarde sous la porte. J'ignore pourquoi quelqu'un regarderait sous une porte de toilette, mais je préfère rester prudent.

En fait, peu de jeunes viennent. Ce n'est pas comme à Hanford High où il y a toujours au moins cinq jeunes dans les toilettes pendant les cours. Peut-être que c'est une meilleure école que Hanford. Il faut dire que ça ne serait pas difficile. J'ai vu ce truc une fois aux informations. Il y avait ce vieux bonhomme à lunettes qui parlait de l'inspection des écoles et de la façon dont les inspecteurs devaient travailler très dur pour déterminer si une école était bonne ou non. À mon avis, ce sont des bêtises. Pour découvrir à quel point une école est bonne, il suffit de passer quelques heures dans les toilettes. Si plusieurs jeunes y viennent sans arrêt, l'école est probablement terrible. Si personne ne vient, elle est probablement bonne. C'est facile, non ?

De quelque façon qu'on regarde la chose, ce n'est pas drôle de passer deux heures dans une toilette. Je me dis que je devrais facturer du temps supplémentaire pour avoir travaillé dans de pareilles conditions. Après avoir lu les graffitis à peu près un millier de fois, la cloche sonne pour la récréation. Je sors des toilettes et je pars à la recherche de Macauley.

J'avais oublié à quel point c'est difficile de s'orienter dans une école qu'on ne connaît pas. Je ne vois Macauley nulle part et je veux éviter qu'il apprenne que je le cherche en demandant où il se trouve. Je passe 10 minutes à arpenter l'école, mais je ne l'aperçois toujours pas. Je décide que si je reste au même endroit il passera peut-être devant moi. C'est moins dur pour les pieds. Je trouve ce poteau à l'autre bout de la cour, d'où je peux voir beaucoup de jeunes, et je m'appuie dessus. Deux minutes plus tard, j'essaie toujours de l'apercevoir quand quelqu'un me tape sur l'épaule. Je me retourne en priant pour que ça ne soit pas un prof. Ça ne l'est pas. C'est un jeune, et il est entouré de quelques amis.

— Salut, dit-il.

Il a à peu près la même taille que moi, mais il est un peu plus âgé. C'est le genre de gars qui devient tout excité quand les premiers poils lui poussent au-dessus de la lèvre supérieure et qui essaie d'en faire une moustache. Je suis presque sûr que, si vous le lui demandiez, il vous dirait que c'est une moustache. Personnellement, je décrirais ça comme quelques poils. Toutefois, ses amis, qui se trouvent juste derrière lui, sont plutôt costauds, si bien que je décide de ne pas mentionner ça.

— Salut, je réponds.

— Permets-moi de me présenter, dit-il avec un grand sourire. Je m'appelle Anthony, et ce sont mes amis, Nico et Giovanni.

J'incline la tête en direction des deux empotés derrière lui.

— Je ne t'ai jamais vu ici, poursuit-il.

— Oh, je lui réponds.

Je ne vois aucune raison de l'aider.

— Tu es nouveau alors.

J'acquiesce.

— C'est ce que je pensais. Je fais un effort particulier pour accueillir tous les nouveaux garçons à l'école. Je pense que c'est tellement important de créer un sentiment de solidarité dans l'école, tu n'es pas d'accord ?

Son sourire s'élargit.

— Je suis sûr que ta mère est très fière de toi, lui dis-je en lui rendant son sourire.

Pendant une seconde, son sourire disparaît.

— Ce n'est pas nécessaire de parler de ma mère, dit-il.

— C'est *ta* mère, je dis.

— Oui, réplique-t-il, elle l'est. Mais je veux te parler de l'école.

— Je t'écoute, lui dis-je.

Il conserve son sourire même si je peux voir que ça lui demande un certain effort.

— St. John's est une très bonne école, dit-il. Qu'en penses-tu, Nico?

Nico réussit à répondre « oui », mais il doit y réfléchir un moment.

— Mais, poursuit Anthony, elle a un problème. Il y a des garçons violents et dangereux dans cette école. Ces garçons ont tendance à s'en prendre aux petits ou aux nouveaux comme toi. C'est très mal de leur part, mais ces garçons n'ont pas un sens moral très développé. Ils ont tendance à penser avec leurs poings. Certains qui se sont rebellés contre eux ont été gravement blessés.

Il s'interrompt comme s'il voulait que je dise quelque chose. Je reste silencieux. Je suis pratiquement certain de ce qui m'attend.

— Toutefois, moi-même et Nico et Giovanni, et quelques-uns de nos associés, avons décidé de mettre fin à ces corrections dont la violence nous bouleverse tant. Nous croyons fermement qu'il faut avoir un bon comportement.

— De toute évidence, ta mère t'a bien élevé, dis-je.

Anthony serre les dents.

— Nous n'avons pas besoin de parler de ma mère.

— Oh. J'avais oublié, lui dis-je.

— Nous avons formé un groupe pour protéger les petits et les nouveaux comme toi de ces attaques.

— Quelle noble idée, je lui dis.

— Pour que tu puisses te déplacer en toute sécurité dans l'école.

— C'est vraiment gentil de votre part.

Je réponds en lui tapotant l'épaule.

Il serre les dents encore plus durement.

— Mais, dit-il en repoussant mon bras, toute cette protection ne peut pas être accordée gratuitement. Nico et Giovanni et plusieurs autres travaillent dur tout le temps pour assurer ta sécurité. Ce n'est que justice qu'ils reçoivent une certaine récompense pour leurs efforts.

— Nico et Giovanni ont l'air si gentil. Je suis certain que faire le bien leur suffit amplement comme récompense, dis-je.

Nico et Giovanni semblent aussi gentils que King Kong et son grand frère.

— Comme je souhaiterais que les choses soient comme ça, dit Anthony, mais malheureusement il y a beaucoup de frais qui s'accumulent quand on protège l'innocent. Je suis sûr que tu comprends. Peut-être que demain tu apporteras une contribution pour diminuer leurs frais. Je verrai à ce qu'elle aille au bon endroit.

Puis, souriant de toutes ses dents, Anthony me tapote la joue, et tous trois repartent en traversant la cour.

Alors, maintenant, c'est moi qui suis taxé. Super.

La cloche sonne.

Je rentre nonchalamment dans l'école et me glisse dans les toilettes. J'en ai pour à peu près une heure et demie à rester assis et à attendre le déjeuner. Je vais devoir trouver Macauley cette fois, sinon ma journée sera complètement perdue.

Une chose est sûre : Anthony et sa bande exercent des activités assez professionnelles ici. Ça ne leur a pris que 15 minutes pour repérer un nouveau et lui faire comprendre la réalité à St. John's. Ils savent ce qu'ils font. Avec des activités aussi efficaces que celles-là, ce sont probablement eux qui harcèlent Macauley Stone. Par ailleurs, il y a vraiment plusieurs cinglés qui se promènent dans la plupart des écoles, et ce pourrait être quelqu'un d'autre. Je vais devoir les prendre sur le fait, et il faudra que ça se produise bientôt. Les profs sont lents d'esprit, mais le seul fait de porter un uniforme ne va pas les berner longtemps.

Quiconque a régulièrement suivi un cours de géographie pendant trois ans a reçu un bon entraînement pour s'adapter à l'ennui, mais les deux heures suivantes dans les toilettes mettent vraiment mon aptitude à l'épreuve. Je m'assure de choisir une autre cabine pour ajouter de la variété, mais ça ne change pas grand-chose. J'essaie de ne pas regarder ma montre parce que les aiguilles semblent tourner plus lentement chaque fois. J'essaie de me raconter des blagues, mais c'est difficile de les trouver drôles quand on en connaît déjà la fin. En bout de ligne, je décide de penser à Madeleine. Le temps passe plus rapidement qu'avec n'importe quoi d'autre.

Finalement, la cloche sonne, et les jeunes commencent à sortir pour le déjeuner. Je trouve facilement Macauley cette fois. Il suffit seulement de suivre la foule de jeunes qui se dirigent vers la cafétéria. Rien ne fait bouger les jeunes comme la nourriture. Il y a une vieille histoire que nous lisait un professeur à l'école primaire à propos de ce type qui jouait une musique magique sur une flûte et, comme cette musique était tellement envoûtante, tous les jeunes de la ville l'ont suivi, et il les a conduits à la rivière et les a noyés, ou quelque chose du genre. Je n'achète pas ça. Quel jeune connaissez-vous qui suivrait un joueur de flûte? Si le gars était parti avec plein de hamburgers et de chips, alors les jeunes l'auraient suivi sans hésiter.

Alors, j'arrive à la cafétéria et ils laissent d'abord entrer les plus jeunes et, à peu près au milieu de la file, je repère Macauley. J'essaie de demeurer hors de vue tout en gardant un œil sur lui. Il a l'air aussi ennuyeux que d'habitude. Il ne parle presque pas et il paraît aussi sérieux qu'un pape. Je trouve très difficile de croire Madeleine qui me disait qu'il avait été le plus merveilleux petit frère du monde. Si c'était le cas, c'est clair qu'il a changé.

J'arpente le corridor à l'extérieur de la cafétéria en attendant qu'il sorte. La femme qui sert les repas me jette quelques regards curieux, mais elle ne dit rien. Ces femmes ne vous embêtent pas trop normalement à moins que vous ne soyez en train de mettre le feu à l'école. Si c'est le cas, il se peut qu'elle vous dise de vous calmer un peu.

Macauley apparaît avec un autre garçon, celui avec lequel il retournait à la maison quand je l'ai suivi la semaine dernière, et ils se dirigent vers l'arrière de l'école. Je reste à une certaine distance sans les perdre de vue. À l'arrière de l'école, il y a un grand champ, et tous les deux se mettent à le traverser jusque dans le coin le plus reculé. C'est difficile de les suivre sans se faire remarquer, mais je peux les voir d'une certaine distance, de sorte que je n'ai pas besoin de me rapprocher. Je m'assois et je sors un livre de mon sac pour donner l'impression que je fais quelque chose pendant que je garde un œil sur eux.

Ils ne font pas grand-chose ; alors je jette un coup d'œil dans le champ. Il s'y passe ce qui s'y passe d'ordinaire. Une dizaine de parties de soccer se jouent tandis que les jeunes se frappent les uns contre les autres. Deux parties s'entremêlent, et on jurerait que ça va entraîner le chaos, mais les joueurs réussissent d'une façon ou d'une autre à s'éviter la plupart du temps. Il y a d'autres jeunes qui sont assis en bandes sur la pelouse et là-bas, derrière ce que je crois être le gymnase, je peux apercevoir un petit groupe de jeunes qui fument à s'arracher les poumons. On peut toujours repérer un groupe de jeunes qui fument. Ils sont tous tassés les uns contre les autres et ils semblent tous nerveux.

Deux femmes qui travaillent aux cuisines bavardent près d'une entrée de l'école, et quelques petits courent ici et là sans raison. Les petits sont comme ça ; je ne sais vraiment pas pourquoi.

C'est à peu près ça ; alors je détourne les yeux pour regarder Macauley et son compagnon. Ils sont encore cachés à l'autre bout du champ à ne rien faire. Rien n'arrive aujourd'hui. Je m'embête de plus en plus.

Je reste comme ça pendant un moment quand j'entends tout à coup quelqu'un. Je tourne la tête et je vois deux jeunes qui se dirigent carrément vers moi. Pour un nouveau, je réussis assurément à rencontrer les gens.

— Salut, dit un des jeunes.

J'incline la tête.

— Comment ça va ? poursuit-il.

— Ça va bien, je lui réponds.

— Je m'appelle Darren, dit le premier.

— Et moi, c'est Wayne, dit l'autre.

Ils sont difficiles à distinguer l'un de l'autre. Je pense que Wayne est légèrement plus laid, mais tous deux pourraient remporter des prix.

— Tu es le..., commence Darren.

— Nouveau, termine Wayne.

J'incline encore la tête.

— Nous sommes venus te parler... commence Darren.

— De l'école, termine Wayne.

Je souris.

— Allez-y, leur dis-je.

— Cette école, dit Darren, est une...

— Très bonne école, ajoute Wayne.

— Mais, continue Darren, il y a quelques...

— Problèmes, dit Wayne.

Il y a une expression en français qui résume ce qui m'arrive en ce moment, mais je n'arrive pas à m'en souvenir. Ça m'apprendra à ne pas écouter en classe. Ça a à voir avec le fait d'entendre et de voir quelque chose que vous avez déjà entendu avant. Je l'ai maintenant : c'est « déjà-vu ».

— Ces problèmes, m'informe Darren, ont un lien avec quelques garçons de l'école qui sont...

— Violents, termine Wayne qui donne l'impression d'avoir utilisé son mot préféré.

Je dois les arrêter. Écouter parler Darren et Wayne, c'est comme regarder une partie de tennis. Je leur dis qu'on m'a déjà servi le discours sur les «problèmes à St. John's». Tous deux semblent un peu tristes quand je leur dis ça.

— Qui t'a parlé? demande Darren.

Je suis vraiment impressionné : il a terminé sa phrase tout seul.

— Anthony.

— Anthony, répète Wayne.

— Tu l'as dit, je le complimente.

— Anthony est bien, dit Darren, bien qu'il ne semble pas très heureux de le dire. Alors, tu sais ce qui se passe?

— Ouais, je lui réponds.

— O.K., dit-il. J'ai d'autres clients à voir.

— Avant que vous partiez, je peux vous poser une question?

— Quoi? demande Wayne.

Je commence à me demander si Wayne a un problème médical qui fait en sorte qu'il ne peut pas dire plus que deux mots de suite.

— Si je paye Anthony, est-ce que c'est la même chose que de te payer, ou est-ce que je dois te payer aussi ? J'ai l'impression que ça pourrait finir par me coûter cher.

— Anthony t'a parlé en premier ; alors tu le payes, dit Darren.

— Et alors tu es en sécurité, dit Wayne.

J'avais tort. Six mots de suite.

— Alors vous et Anthony faites partie de la même bande ? je leur demande.

— Disons que nous avons un...

Darren cherche le bon mot.

— Arrangement, dit Wayne à sa place.

— Vous êtes des partenaires, alors ? je suggère.

— Tu poses trop de questions, dit Darren.

— Assure-toi seulement de payer Anthony demain, dit Wayne, sinon les choses pourraient mal tourner pour toi.

Wayne sort vraiment de sa coquille. Je crois qu'il était seulement timide devant un étranger mais, une

fois qu'il vous connaît suffisamment pour vous menacer, il n'y a pas moyen de l'arrêter.

— Nous avons d'autres visites à faire, dit Darren.
Allons-y.

Ils se dirigent vers le coin du champ. Ça ne prend
pas un grand détective pour comprendre que l'objet de
leur prochaine visite sera Macauley.

Je regarde Darren et Wayne marcher lourdement
vers Macauley et son ami. Les petits doivent les avoir
vus approcher, mais ils ne font rien. Ils auraient pu au
moins essayer de s'enfuir, ou quelque chose du genre,
mais ils restent assis là en attendant l'arrivée de Darren
et Wayne.

Je ne peux pas dire exactement ce qui se passe,
mais ça ressemble à ceci : Darren et Wayne font leur
petite prestation à deux en ayant l'air de durs à cuire,
puis Macauley dit quelque chose et Wayne le frappe
durement à l'estomac. Macauley est assis, mais le coup
le renverse sur le dos. Ensuite, Darren et Wayne se
tournent vers l'autre jeune. Il fouille dans sa poche et
leur donne quelque chose. Darren le gifle, mais pas
trop fort. Puis les deux s'éloignent. Tout s'est passé en
deux minutes.

Macauley reste par terre pendant un moment, puis il se rassoit. Et tous deux se remettent à parler ou à faire quoi que ce soit d'autre qu'ils étaient en train de faire. Je décide d'aller les voir et de découvrir ce qui se passe. Je m'approche d'eux et leur dis :

— Salut.

— Salut, répond l'ami de Macauley.

— Comment tu t'appelles ? je lui demande.

— Et toi ? réplique-t-il.

De toute évidence, les gens sont soupçonneux dans cette école.

— Je m'appelle Mickey Sharp et je suis nouveau ici.

— Je suis Tom Finney, et voici Macauley Stone.

Macauley me jette un regard méfiant. Il n'a pas l'air de vouloir que Tom me parle, mais je suis plus grand que lui, et son expérience avec les garçons plus grands n'a pas été tellement positive ; alors il se tait. Je pense qu'il ne fait confiance à personne.

— Nous nous sommes déjà rencontrés, Macauley et moi. Je lui ai demandé quelques conseils.

— Oh, dit Tom.

Macauley reste silencieux.

— J'ai constaté que vous connaissiez Darren et Wayne aussi.

Tout à coup, Tom baisse les yeux. Il ne veut pas parler de Darren ou Wayne. C'est difficile de parler quand personne ne vous regarde, à moins d'être un prof ou quelque chose du genre, mais je poursuis.

— Ils voulaient m'extorquer de l'argent pour me protéger, ou quelque chose du genre. Ces autres gars, Anthony, Nico et Giovanni cherchaient la même chose. C'était de ça qu'ils vous parlaient?

Tous deux continuent à fixer le sol. Je poursuis.

— Écoutez, je ne suis pas venu vous voir pour vous causer des problèmes ou quoi que ce soit. Je veux seulement connaître la situation ici. Je suis ici depuis moins d'une journée, et tous ceux à qui je parle semblent vouloir me soutirer de l'argent. Qu'est-ce qui se passe?

Macauley lève les yeux et me regarde directement. Il paraît effrayé, mais encore davantage fâché.

— Pourquoi me suis-tu?

Sa question me prend un peu par surprise, et je marmonne quelque chose de pathétique pour dire que je l'ai seulement croisé quelques fois par hasard. Ce n'est pas tant ce que je dis qui semble faire croire que je mens ; c'est la façon dont je le dis.

Macauley se lève.

— Viens, dit-il à Tom, on s'en va.

Tom se lève aussi, et ils commencent à s'éloigner. Je suis vraiment fier de moi. Un autre entretien gâché. Aucune conversation ne me donnera jamais un boulot. D'habitude, je ne crie pas contre les gens, mais j'en ai ras le bol maintenant, si bien que je le fais.

— O.K., je crie. C'est super. Vous vous contentez de partir. Vous continuez à payer ces garçons. Vous avez cinq autres années à passer dans cette école. Combien vous pensez que ça va vous coûter ou combien de fois on va vous frapper ? Tout ce que j'essaie de faire c'est de découvrir ce qui se passe et peut-être d'arrêter tout ça.

Tom s'immobilise tandis que Macauley continue de marcher. Tom réfléchit pendant une seconde, puis se retourne et commence à revenir vers moi. Macauley s'arrête et attend Tom, mais il ne se retourne pas.

— Ce n'est pas moi qui te l'ai dit, d'accord ? me dit d'abord Tom quand il me rejoint.

J'incline la tête.

Il me dit ce que j'ai besoin de savoir.

En gros, c'est ceci : jusqu'à il y a trois mois, il n'y avait que quelques brutes à l'école, mais c'était le type normal de voyous sans cervelle, et ils étaient si idiots que même les profs les ont attrapés et les ont empêchés de continuer après un moment.

Puis Anthony est apparu. Il était différent. Il les a organisés et il a fait en sorte qu'ils menacent plutôt que de battre. C'était plus difficile à prouver. Il laisse des gars comme Darren et Wayne croire qu'ils font leurs propres affaires, mais c'est lui qui dirige tout. Il s'assure d'intimider seulement les plus jeunes et les nouveaux qui paraissent faibles. C'est bien de savoir que j'entre dans cette catégorie. Il les fait payer chaque semaine. Je demande à Tom pourquoi personne n'a averti les profs ou les parents. Tom me répond qu'un jeune l'a fait et qu'il s'est retrouvé à l'hôpital. Les profs soupçonnaient Anthony, mais il était trop rusé pour se faire prendre. Je lui demande pourquoi Macauley se faisait battre. Il me dit que Macauley ne veut pas payer. Macauley est le seul jeune à qui ils l'ont demandé et qui refuse de payer. Il perturbe leurs activités ; alors ils continuent de le battre. Je lui demande pourquoi Macauley ne veut pas payer. Il me dit : «Tu as rencontré Macauley, n'est-ce pas?» Je l'ai rencontré. Je sais où Tom veut en venir. Macauley est le genre de garçon qui ne changerait pas d'idée même si on lui mettait un pistolet sur la tempe. Tom dit qu'il doit partir. Il s'éloigne rapidement.

La cloche sonne.

Je me dis que j'ai obtenu tout ce que je pouvais et je décide de quitter rapidement St. John's. J'ai besoin de réfléchir.

Je pars en direction du portail. Les jeunes retournent en classe. Je me dis que, si je peux quitter les lieux assez vite, je pourrais revenir à temps à Hanford High pour l'après-midi et dire que je suis allé chez le dentiste, ou quelque chose du genre. Je suis sûr qu'ils me croiront. Tout ce Coke que je bois doit me donner des caries. Mais la malchance me poursuit. Comme je m'apprête à franchir le portail, je me frappe carrément contre le gros prof avec la barbe. Il me saisit le bras.

— Où crois-tu t'en aller, mon garçon, dit-il.

Le problème avec un uniforme, c'est qu'il vous fait entrer quelque part, mais qu'il vous rend la tâche vraiment difficile pour en ressortir. Je décide de reprendre mon air à la fois innocent et stupide.

— Chez le dentiste, monsieur.

— Où est ton billet?

— Mon billet?

— Le billet qui dit que tu peux quitter l'école pour aller chez le dentiste.

— Oh, ce billet.

— Oui, celui-là.

— Je ne sais pas.

— Tu ne sais pas. Qu'est-ce que tu veux dire par là, mon garçon?

Une chose que je déteste vraiment à propos des profs, c'est qu'ils insistent terriblement quand ils trouvent une question à laquelle vous ne pouvez pas répondre.

— Je l'ai perdu.

On ne sait jamais; il peut encore exister un prof au monde qui va croire celle-là.

— Tu t'attends à ce que je crois ça?

De toute évidence, je ne suis pas tombé sur lui.

— Reviens à l'école avec moi, mon garçon, et nous allons examiner ça. Qui est ton professeur principal?

La situation devient vraiment désagréable. Je dois retirer sa main de mon bras. S'il me ramène dans cette école, je pourrais avoir de sérieux ennuis.

— Le billet est dans mon sac, monsieur.

— Écoute, mon garçon, ne me fais pas perdre mon temps.

— Je vous jure, monsieur. Je l'avais oublié.

J'essaie d'avoir l'air vraiment idiot. S'il me croit stupide, il pourrait se contenter de me donner une chance.

Il me lâche le bras.

Je commence à courir.

Il se met à crier. Je continue de courir. Il se met à courir derrière moi. Je continue pendant à peu près une minute avant de regarder par-dessus mon épaule. Il est loin derrière moi et il est plié en deux tellement il tousse. Ce qui est bien avec les adultes, c'est qu'ils sont de telles épaves physiquement. C'est le seul avantage que nous ayons.

Aussitôt que je le peux, je tourne dans une ruelle et je change d'uniforme. Même s'il téléphone à la police, ils vont chercher un jeune avec le mauvais uniforme.

Je regarde ma montre. Il est passé 14 h 00. Je ne vois pas l'avantage de retourner à Hanford High maintenant. Je me glisse dans la boutique d'un marchand de journaux, puis je m'achète un Coke et un sac de chips. J'ai besoin de réfléchir.

Il y a un parc de l'autre côté de la rue, et j'y vais. Pas terrible comme parc. Je me rends aux balançoires et je m'assois sur la seule qui n'est pas brisée. Il n'y a personne alentour, probablement à cause de toutes les bouteilles brisées un peu partout. Je jette un coup d'œil au reste de l'endroit. Le carré de sable est rempli de crottes de chiens, et quelqu'un a vomi sur la glissade. Ce n'est pas exactement Disneyland.

Je dois trouver un plan. J'ai fait la moitié du travail en découvrant qui harcèle Macauley. La deuxième partie, bien sûr, c'est de les arrêter. Il y a deux façons : l'une consiste à payer Anthony pour qu'il laisse Macauley en paix, et l'autre, c'est de le mettre dans une situation qui l'oblige à s'arrêter. Je n'aime pas la première option. On ne peut jamais faire confiance à des gars comme Anthony ; une fois qu'on a *commencé* à les payer, on *continue* à les payer. Ça ne résout rien. Alors je vais devoir le placer dans une position où il doit s'arrêter ou dans une situation où quelqu'un va les arrêter, *lui* et ses copains. Ça va être difficile.

Je commence à réfléchir à l'idée d'après laquelle on devrait résister aux brutes et qu'ils vont s'éloigner parce qu'au fond d'eux-mêmes, ce sont tous des lâches.

Tout le monde a déjà entendu ça à un moment ou à un autre. C'est peut-être vrai qu'ils sont tous des lâches, mais je ne pense pas que ce soit le meilleur conseil du monde. C'est le genre de choses que disent les gens qui ne se font pas intimider. Si vous résistez à une brute et qu'il est plus grand que vous, alors il va simplement vous frapper de nouveau. Autrement, ça ne serait pas une vraie brute. C'est logique. Mais peut-être que, si vous résistez à une brute au bon moment, quand il va perdre la face ou se faire attraper, alors ça pourrait marcher.

Il faut que je m'organise pour qu'Anthony se fasse prendre sur le fait. Le problème avec cette idée, c'est qu'il laisse l'intimidation à ses copains et se contente de ramasser l'argent. Ça ne sert à rien de faire prendre Nico et Giovanni. S'ils se faisaient expulser de l'école, Anthony n'aurait qu'à trouver d'autres garçons. Il faut que je le fasse prendre sur le fait pendant qu'il intimide et, s'il ne s'occupe pas vraiment de l'intimidation, ce sera difficile à prouver.

Je réfléchis un peu plus. Rien n'en sort. Je commence à me balancer. J'ai une idée. Elle est horrible. Je me balance un peu plus haut. J'ai une autre idée. Elle est encore pire. Je lève les jambes en poussant, et la balançoire monte plus haut. J'oublie Macauley Stone et Madeleine et l'intimidation, et me concentre seulement sur le fait de me balancer encore plus haut. Ça devient vraiment haut maintenant. Je me sens bien. Je ne me suis pas vraiment balancé depuis des années. J'entends craquer la structure métallique, mais je continue. Maintenant, la balançoire monte si haut que les chaînes retombent au bout de chaque élan, ce qui donne l'impression de perdre la maîtrise. C'est à ce moment que l'idée me vient. C'est dangereux et difficile, mais ça pourrait bien fonctionner. Je tombe de la balançoire sur le sol.

Je me relève. Je suis chanceux de n'avoir pas atterri sur des tessons de verre. Je dépoussière mes vêtements et, en regardant ma montre, je vois que l'école est terminée pour la journée. Je commence à marcher vers la maison.

Je rentre et monte à ma chambre pour enlever mon uniforme. Je cache celui de St. John's sous le lit. Je vais en avoir encore besoin. Je n'arrête pas de penser à mon plan. Est-ce qu'il va marcher? Quand il m'est venu à l'esprit sur la balançoire, j'avais l'impression qu'il ne pouvait pas rater, mais maintenant je ne peux penser qu'à différents problèmes. Je dois mettre le plan en branle ce soir, en partie parce qu'il faut qu'il se réalise vite et en partie parce que, si je n'arrête pas d'imaginer d'autres problèmes, je vais simplement abandonner.

— Mickey! crie mon père du bas de l'escalier, c'est toi?

Je crie à mon tour.

— Oui.

— Viens ici.

C'est la dernière chose dont j'aie besoin. Je veux sortir et commencer à organiser les choses.

— J'arrive.

Je descends. Mon père est dans le salon et regarde l'arrière-cour. Il ne se retourne pas quand j'entre dans la pièce.

— Tu as eu une bonne journée à l'école aujourd'hui?

Mon cœur fait un bond dans ma poitrine quand il dit ça. S'il a découvert que j'avais séché des cours, les choses vont devenir extrêmement désagréables.

— Ouais, dis-je.

Je ne mens pas tout à fait. Je suis allé à l'école aujourd'hui, mais pas à la mienne.

— Bien, dit-il. Viens ici.

J'ignore ce qu'il a en tête, mais je n'ai pas beaucoup le choix. Je traverse la pièce.

— Qu'est-ce que tu vois par la fenêtre, Mickey ?

— Notre arrière-cour.

— Et c'est quoi la principale chose dans notre arrière-cour, Mickey ?

Je déteste quand mon père entreprend ces séances de questions-réponses. Il souhaite toujours obtenir une réponse qui va vous faire paraître idiot. Le problème, c'est qu'il la connaît mais pas moi.

— De la pelouse, dis-je avec espoir.

— Exactement, Mickey, et qu'est-ce que tu remarques à propos de la pelouse ?

Je fixe la pelouse et essaie de remarquer quelque chose à son sujet.

— Elle est verte, dis-je.

Mon père soupire.

— Oui, elle est verte, Mickey, mais ça n'a rien de particulier. Et sa longueur ?

Je comprends où il veut en venir. Il y a trois semaines, mon père a décrété que moi et ma sœur devions aider davantage autour de la maison. Il m'a désigné comme volontaire pour tondre le gazon. Je n'aime pas faire ça; alors je ne l'ai pas fait. Il faut que j'évite de dire que l'herbe est haute.

— Elle est à peu près d'une longueur normale, dis-je en essayant de paraître nonchalant.

— Une longueur normale, vraiment? dit mon père.

— Ouais.

Il se retourne et me regarde pour la première fois.

— Mickey, il y a des jungles en Amérique du Sud où l'herbe est encore plus courte que ça. J'hésiterais à envoyer une petite personne dans notre arrière-cour par crainte qu'elle se perde et ne retrouve jamais son chemin. Maintenant, tu vas chercher la tondeuse et couper tout ça.

Je pourrais vraiment me passer de cette tâche en ce moment.

— Écoute, papa, je suis occupé maintenant. Je vais le faire dans deux jours.

— Tu vas le faire maintenant.

— Papa.

— Maintenant.

Il n'y a rien à faire. Je vais chercher la tondeuse. Je déteste que mon père soit au chômage parce que ça lui donne encore plus de temps pour penser à des manières de me torturer.

Je tonds la pelouse aussi vite que possible. Je viens tout juste de ranger la tondeuse quand mon père apparaît et me soumet son opinion selon laquelle c'est une idée originale de laisser la pelouse à environ 15 différentes longueurs, mais qu'il est un peu vieux jeu et aimerait qu'elle soit partout de la même longueur. Alors, je me retape le boulot.

Quand chaque brin d'herbe est d'environ deux centimètres de haut, c'est l'heure du dîner. À ce rythme, je ne pourrai jamais mettre mon plan en branle.

À table, la conversation tourne comme d'habitude autour de l'argent. Je n'y prête pas beaucoup d'attention parce que c'est toujours la même chose et qu'il n'y en a jamais assez pour ce que nous voudrions acheter. Se crier des injures ne va pas nous rendre plus riches, n'est-ce pas? En tout cas, j'essaie de manger aussi rapidement que possible pour pouvoir partir. Mon père, qui ne rate jamais une occasion de critiquer, le remarque.

— Mickey, dit-il en me regardant d'un air dégoûté, quelqu'un m'a dit que tu n'étais même pas digne de manger avec les porcs, mais je t'ai défendu. J'ai dit que tu l'étais.

Mon père m'a dit ça au moins un millier de fois, et il croit encore que c'est drôle.

— Merci, papa, dis-je, c'est bien de savoir qu'on peut compter sur le soutien de ses parents.

Mon père m'ignore et se tourne vers ma mère.

— Est-ce qu'on ne lui a pas appris à manger comme un être humain civilisé ? Il se sert de sa fourchette comme d'une pelle et de sa bouche comme d'une immense benne à ordures.

Ma mère ne dit rien.

Je finis mon assiette et me lève pour partir.

— Mickey, dit ma mère, la politesse exige qu'on attende que les autres aient fini avant de quitter la table.

— Comme il est poli de dire aux gens qu'ils mangent comme des porcs ? dis-je.

La moutarde me monte au nez.

— Je suis ton père. C'est mon travail, dit mon père d'un air arrogant, maintenant qu'il a réussi à me faire fâcher.

— Ouais, c'est le seul travail duquel personne ne peut te congédier, non ?

Après que j'eus dit ça, le silence se fait pendant un moment. Personne n'est censé mentionner le fait que mon père a été congédié. Je sais que je suis allé un peu trop loin, mais je restais joyeusement soumis jusqu'à ce que mon père commence à s'en prendre à moi.

— Pars, Mickey, dit ma mère.

Alors je pars.

Je me sens un peu mal pendant que je me rends chez Tom Finney. C'est le garçon qui revenait de l'école avec Macauley le soir où je l'ai suivi ; alors je sais où il vit. J'ai besoin de son aide. Macauley ne va jamais me faire confiance parce que je me suis telle-ment ridiculisé en essayant de lui parler la semaine dernière, mais Tom le pourrait peut-être. Je ne m'en fais pas trop, pourtant. Je ne me soucie pas vrai-ment de Macauley ou de quoi que ce soit d'autre en ce moment, mais il faut que je parte de chez moi, et c'est un aussi bon endroit où aller que n'importe où ailleurs. J'ai envie de tout abandonner et de m'enfuir au bout du monde, mais il n'y a nulle part où aller. Je suis bloqué ici.

J'arrive chez Tom et je frappe à la porte. Sa mère ouvre.

Je lui demande si Tom est là. Elle me regarde de bas en haut et, de toute évidence, elle n'aime pas ce qu'elle voit. L'histoire de ma vie.

— Je vais voir, dit-elle.

J'attends quelques minutes, et Tom vient à la porte. J'entends sa mère à l'arrière qui lui dit :

— Seulement cinq minutes, Tom. Rappelle-toi que tu as des devoirs.

Il n'a pas l'air particulièrement heureux de ma visite.

— Comment as-tu trouvé où j'habite ? demande-t-il.

— J'ai deviné, lui dis-je.

— Très drôle.

— Écoute, lui dis-je, j'ai besoin de ton aide.

— Eh bien, tu ne peux pas l'avoir. Salut.

Même en tenant compte du fait qu'il est dans sa propre maison, il est passablement arrogant pour un jeune de 11 ans. Il s'apprête à me refermer la porte au visage. Je la bloque avec mon pied.

— Je vais m'arranger pour qu'Anthony, Darren et Wayne vous laissent en paix pour de bon.

Il décide de ne pas fermer la porte. Il semble trouver l'idée attrayante.

— Accorde-moi deux minutes, je lui dis en essayant d'avoir l'air de croire en moi-même. Si tu n'aimes pas ça, tu fermes simplement la porte, et je disparais. Tu n'as rien à perdre.

Ne faites jamais confiance à quelqu'un qui vous parle comme ça, même si c'est moi ; ils essaient de vous vendre quelque chose que vous ne voulez pas. Ce jeune n'est pas aussi futé qu'il le pense parce qu'il reste là et écoute. Cinq minutes plus tard, il a saisi la perche tendue.

Je retourne chez moi le cœur plus léger. Si je n'arrive pas à devenir détective, je pourrai au moins devenir vendeur de double vitrage. Puis je me dis que, si ce genre de pensée me réjouit, je suis vraiment dans le pétrin.

CHAPITRE 6

Le lendemain, je décide d'être le genre de garçon qui vous donne envie de vomir. Mon plan ne va fonctionner que si je réussis à passer toute la journée sans avoir de problèmes et alors, demain, je serai libre de faire ce qu'il faut.

Je me lève tôt, j'aide à ramasser la vaisselle du matin sans qu'on me le demande, j'arrive à l'école (à la bonne école cette fois) avant que la cloche sonne. Je n'oublie pas de donner à M. Newman le billet qui explique mon absence (d'accord, c'est un faux, mais personne n'est parfait). Je réponds à des questions pendant mes deux premiers cours et j'ai même quelquefois la bonne réponse.

Au moment où la cloche sonne à la récréation, je suis déjà fatigué d'être Superélève, mais je suis déterminé à poursuivre. Je me rends nonchalamment dans la cour de récréation, m'assois, prends un Coke dans mon sac et commence à me redemander si mon plan va fonctionner. Un problème, c'est que...

— Salut, Mickey.

Je lève les yeux et j'aperçois Katie Pierce.

— Salut, dis-je.

J'essaie que mon « Salut » sonne autant que possible comme « Va-t'en ».

Elle s'assoit à côté de moi. C'est étrange. Nous sommes dans la même classe, mais je ne crois pas que nous nous soyons jamais beaucoup parlé. C'est de cette manière que je veux que notre relation demeure.

— Écoute, dis-je, je ne veux pas paraître brutal, mais je suis un peu occupé en ce moment.

— Je ne te vois rien faire, dit-elle.

— Je réfléchis, dis-je.

Elle éclate de rire.

— Sois très prudent quand tu essaies de nouvelles choses, Mickey, me dit-elle en souriant.

Je détourne les yeux. Je ne veux pas entreprendre une dispute avec elle. C'est censé être la journée où je ne fais rien de mal et, croyez-moi, si vous commencez à argumenter avec Katie Pierce, vous n'avez aucune idée de la façon dont ça va se terminer.

— À quoi réfléchis-tu? demande-t-elle gentiment. Trop gentiment.

— À toutes sortes de choses, je lui réponds.

Je ne sais vraiment pas pourquoi Katie Pierce me parle, mais il y a une règle qui vaut la peine d'observer, et c'est de ne jamais rien lui dire. J'ai connu beaucoup trop de gens qui ont confié des secrets à Katie Pierce avant de découvrir que toute la classe était au courant le lendemain.

— Je suis heureuse de constater que tu vas mieux.

— Quoi? dis-je un peu plus rapidement que je l'aurais dû.

— Eh bien, j'ai remarqué que tu n'étais pas au dernier cours jeudi et vendredi et que tu étais absent toute la journée d'hier.

— Je ne me sens pas encore très bien, dis-je. C'est pour ça que je ne suis pas d'humeur à parler.

— J'ai cru t'entendre dire que tu réfléchissais.

D'un coup, toute inquiétude disparaît de sa voix.

— Je me demandais si j'étais encore malade.

— Oh, dit-elle.

Petit silence. Je commence à penser à m'éloigner d'elle.

— C'est bizarre comment ta maladie est apparue avant les deux derniers cours pendant deux jours de suite, n'est-ce pas? dit-elle.

Je ne réponds pas.

— Puis tu étais absent lundi. C'est drôle, mais un ami à moi qui fréquente St. John's est certain de t'avoir vu là hier en uniforme de St. John's.

Je fige.

— Je sais que tu n'es pas le garçon le plus brillant de notre classe, Mickey, mais je suis certaine que même toi tu peux te rappeler à quelle école nous allons.

— Il doit avoir fait une erreur, dis-je en fixant la pelouse à mes pieds.

— Eh bien, peu importe. Le problème, Mickey, c'est que le fait que tu sois disparu avant la fin des cours pendant deux jours de suite la semaine dernière et que j'aie entendu dire que tu étais allé dans une autre école hier, ça me met dans une position terriblement difficile, n'est-ce pas?

— Pourquoi? dis-je. Ça ne te regarde pas.

— Oh, mais ça me regarde, Mickey. Tu vois, comme je suis ta compagne de classe et une bonne élève de Hanford High, je sens qu'il est de mon devoir de dire à M. Newman ce qui se passe.

Je vois en un éclair dans quel pétrin je me retrouverais si Newman apprenait tout ce que j'ai fait ces derniers jours. Je commence à transpirer.

— Qu'est-ce que tu veux, Katie? je lui demande.

Toute cette histoire de «bonne élève de Hanford High», c'est des sottises. C'est du bon vieux chantage, et je vais devoir payer le prix qu'elle demandera.

— T'aider, Mickey, c'est tout.

— En me dénonçant.

— Parfois, il faut être cruel pour être gentil.

La situation commence à m'agacer vraiment.

— Écoute, Katie, lui dis-je. Tu sais et je sais que tu veux quelque chose. Dis-moi simplement ce que c'est.

— Je ne sais pas de quoi tu parles. Je ne veux rien.

Je reste silencieux.

— Oh, sauf une chose, dit-elle.

Maintenant, nous en venons au fait.

— Quoi ? lui dis-je.

— Invite-moi à sortir.

— Quoi ?

Je suis si surpris que je la regarde directement dans les yeux.

— Invite-moi à sortir, répète-t-elle en me retournant mon regard.

Quand j'ai dit que j'allais devoir payer le prix qu'elle demanderait, je n'avais pas cru qu'il allait être si élevé. Certains garçons jetteraient un seul coup d'œil à Katie Pierce et penseraient que je suis fou de ne pas l'inviter à sortir. Elle est vraiment jolie, et tout. Il y en a qui vous diront que c'est tout ce qu'ils recherchent quand ils choisissent celle à qui ils demanderont de sortir ensemble. Mais Katie Pierce est le genre de fille qui vous guérit de cette attitude après l'avoir connue pendant un moment. J'ai vu les types avec qui elle sortait. Elle leur dit tout le temps quoi faire et se moque d'eux devant ses amies et les fait paraître idiots. Et ils acceptent ça. Je crois que la plupart d'entre eux sont trop effrayés pour mettre fin à leur relation.

Mais, si je ne l'invite pas à sortir, elle va tout dire à Newman. Une chose qu'on doit lui accorder, c'est qu'elle met ses menaces à exécution. Elle ne bluffe pas. Et, sans compter tous les problèmes que ça entraînerait pour moi, il n'y aurait aucune chance que je puisse réaliser mon plan demain, et ça voudrait dire que l'intimidation ne s'arrêterait pas à St. John's, en plus de gâcher mes chances avec Madeleine.

— Écoute, Katie, dis-je en essayant de paraître honnête, je veux dire, je t'aime bien, et tout. Seulement, je ne suis pas certain que nous puissions sortir ensemble. Je n'ai pas beaucoup d'argent et je ne pourrais t'emmener nulle part...

Elle éclate de rire.

— Pourquoi ris-tu? je lui demande.

— Comme tu es drôle, Mickey, dit-elle. Je t'ai demandé de m'inviter à sortir. Je n'ai pas dit que j'accepterais.

— Mais pourquoi me demandes-tu de t'inviter à sortir si tu vas refuser? dis-je.

Et alors elle me raconte.

Je savais qu'elle était mauvaise, mais je ne croyais pas qu'elle l'était à ce point. Je ne pensais pas que quiconque le soit à ce point. Je suis complètement à sa merci.

Je n'ai jamais mangé aussi lentement une assiette de frites que je le fais ce midi. J'y ajoute du sel, du vinaigre et du ketchup. Je mange les frites une à une et les mâche à peu près un millier de fois avant de les avaler. Compte tenu du goût des frites qu'ils servent dans notre cafétéria, c'est pratiquement un exploit.

Et, pendant tout ce temps, j'essaie d'éviter ce que je dois faire, mais je sais que je ne le peux pas. C'est comme ça. Katie va me dénoncer à Newman à moins que je ne l'invite à sortir et que je la laisse refuser. Mais ça ne s'arrête pas là. Ce serait trop facile. Il faut que je l'invite devant toutes ses amies. Imaginez ça. Devoir inviter une fille à sortir devant toutes ses amies et se voir refuser. Je n'ai pensé à pratiquement rien d'autre depuis qu'elle m'a dit ça. Quel genre de malade peut imaginer une idée pareille ? Katie Pierce. Et vous savez pourquoi elle veut faire ça ? Parce que Julie Reece a été invitée deux fois ces dernières semaines. Julie Reece est la meilleure amie de Katie, si bien qu'on pourrait croire qu'elle se réjouisse pour elle. Pas question. Katie a toujours été plus souvent invitée que Julie et, dans son esprit, c'est ainsi que les choses doivent rester. Alors, je dois l'inviter à sortir devant toutes ses amies pour que personne ne puisse dire qu'elle invente ça. Tout ce que je peux dire, c'est que certaines filles vous donnent la chair de poule.

Mais, quel que soit le rythme auquel vous les mangez, à la fin, les frites disparaissent et, quand j'ai terminé, je dois déposer mon assiette sur la pile, sortir de la cafétéria et me diriger vers l'autre bout de la cour de récréation.

Pendant que je marche, je peux toutes les voir : Katie Pierce, Julie Reece, Susan Ashe, Louise Petch et Anne Bower. En m'approchant, je vois qu'elles fument une cigarette qu'elles se passent à la ronde. Je n'ai jamais compris ça. Mlle Hardy et Mlle Walter nous disent toujours que les filles ont plus de maturité que les garçons, qu'elles sont plus raisonnables. Si elles ont raison, pourquoi est-ce toujours les filles qu'on voit fumer des cigarettes ? Je veux dire, les cigarettes coûtent très cher, vous donnent le cancer et vous font sentir mauvais. Si c'est ça la maturité, je suis content d'en manquer.

J'arrive jusqu'à elles.

— Salut, Mickey, dit Susan Ashe. Tu veux une bouffée de ma clope ?

Je secoue la tête.

— Ça le ferait tousser, dit Anne Bower.

Elles éclatent toutes de rire.

— Prends le risque, Mickey, dit Louise Petch.

— Ça va, dis-je.

— Qu'est-ce que tu veux alors ? dit Julie Reece.

— Je veux parler à Katie.

Jusqu'ici, Katie regardait ailleurs. Elle pense probablement avoir un air naturel, mais elle se trompe. Normalement, elle aurait été la première à s'en prendre à moi. Quand elle m'entend dire son nom, elle se tourne en faisant comme si elle était étonnée. Elle est nulle comme actrice, mais aucune de ses amies ne semble le remarquer.

— Qu'est-ce que tu veux, Mickey ? demande-t-elle.

— Je veux te demander quelque chose, dis-je.

À partir de maintenant, les choses vont devenir très difficiles.

— Je t'écoute, dit-elle.

Je baisse les yeux et j'essaie d'imaginer que je parle à Madeleine.

— Je me demandais si peut-être tu accepterais d'aller voir un film, ou quelque chose, ce week-end.

Toutes les filles émettent à l'unisson un grand «oooh».

— Un film? dit Katie.

Elle ne va pas me laisser m'en tirer si facilement.

— Ouais. Ou on peut faire autre chose, si tu veux.

— Comme quoi?

Katie ne veut pas seulement vous humilier. Elle aime d'abord vous torturer.

— Je ne sais pas. N'importe quoi.

Je prends un ton un peu dur pour faire savoir à Katie que je pense qu'elle en fait un peu trop.

— Juste toi et moi?

Il n'y a pas moyen de l'arrêter. Elle va m'humilier autant qu'elle le pourra.

— Ouais, je réponds, même si je suis tenté de lui dire qu'elle peut emmener sa grand-mère si elle le souhaite.

— Comme pour un rendez-vous amoureux?

— Ouais, comme ça.

— Eh bien, je ne sais pas ce que je vais faire ce week-end. Pourquoi moi ? Il y a tant de filles que tu pourrais inviter dans cette école.

La suite est pire que tout. Elle me l'a écrite en me disant de la mémoriser. Je fixe mon attention sur une pierre à mes pieds et je serre les poings si fort que je peux sentir mes ongles s'enfoncer dans ma chair. Puis je commence en disant :

— C'est juste que j'ai le béguin pour toi. Je l'ai depuis que nous avons commencé l'école et je n'ai jamais eu le courage de t'inviter à sortir ; mais il faut que je prenne le risque maintenant, sinon un autre gars pourrait t'avoir parce que je sais qu'il y en a tellement parmi eux qui t'aiment vraiment beaucoup.

Je prononce ces paroles comme un robot. Je veux dire, même pour moi, elles n'ont pas de sens. Pensez-y. Si j'avais eu le béguin pour Katie depuis trois ans et que je n'avais jamais eu le courage de l'inviter à sortir, pourquoi je le lui demanderais tout à coup devant quatre autres personnes ? Mais les autres filles ne semblent pas le remarquer. Pourtant, elles passent toutes leur temps à lire ces magazines pour ados avec des histoires d'amour en photos. Elles pensent probablement que les gens parlent comme ça dans la vraie vie.

— Eh bien, dit Katie, c'est vraiment gentil, Mickey. Je n'ai jamais pensé que tu avais ce sentiment pour moi ou que tant d'autres garçons l'avaient.

Elle s'assure que ses amies comprennent le message selon lequel elle est la fille la plus attirante du quartier.

— Je n'étais vraiment pas préparée à ce que tu aies le béguin pour moi, Mickey, poursuit-elle, mais, comme tu as eu le courage de venir m'inviter à sortir alors que tous ces autres garçons ne l'ont pas eu, alors je vais sortir avec toi.

Je frise la crise cardiaque. C'est encore bien pire que ce que j'aurais pu imaginer. Mes yeux bondissent du sol et la fixent avec étonnement.

— Quoi? dis-je d'une voix idiote. Tu vas sortir avec moi?

Katie prend une bouffée de la cigarette qu'elle a à la main. Toutes les autres filles la regardent aussi. Je ne pense pas qu'elles se soient non plus attendues à ce qu'elle accepte. Elle tient la cigarette à sa bouche pendant ce qui semble une éternité, puis elle souffle lentement la fumée.

— Quel con, dit-elle. Tu ne sais pas que je ne sors jamais avec un garçon de moins de 16 ans ?

Elle laisse tomber sa cigarette par terre et l'éteint du bout du pied.

Toutes ses amies commencent à rire.

Katie passe près de moi en secouant la tête, et les autres la suivent. Je les entends rire jusqu'à ce qu'elles atteignent l'école.

D'après notre prof de physique, la chose qui voyage le plus vite au monde, c'est la lumière. Il a tort. La chose qui voyage le plus vite au monde, c'est la nouvelle selon laquelle vous venez tout juste d'inviter une fille de votre classe à sortir et qu'elle a refusé. Au moment où le premier cours commence après le lunch, tout le monde est au courant.

Aussitôt que j'entre dans la classe, ça commence :

— Mickey s'est fait rembarrer.

— Elle t'a brisé le cœur, Mickey ?

— Ne pleure pas, Mickey.

Les idiots du fond de la classe ont un plaisir fou.

— Katie, tu es merveilleuse.

— Katie, tu es fantastique.

— Katie, je pense que je t'aime.

Les situations de ce genre sont les pires du monde. Si je ne réponds rien, ils vont continuer jusqu'à ce que je le fasse. Si je dis quelque chose, ils vont penser qu'ils m'ont eu et en remettre. La meilleure chose à faire, ce serait de disparaître de la surface de la terre pendant un mois ou deux jusqu'à ce que tout le monde ait oublié l'événement. Malheureusement, je ne peux pas le faire aujourd'hui puisque je suis censé être Monsieur Perfection et m'assurer de ne rien faire de mal.

Je leur sers un sourire sarcastique, comme pour dire «Vous ne vous trouvez pas un peu ridicules», et je vais m'asseoir. Ils rient encore plus. Essayer de faire en sorte que les idiots du fond aient honte d'eux-mêmes, c'est un peu comme essayer d'expliquer à un banc de piranhas que manger des gens, ce n'est pas très gentil.

Je jette un regard à Katie. Je sais que c'est stupide, mais je ne peux pas m'en empêcher. Les filles assises à côté d'elle lui donnent un petit coup de coude, et elle lève les yeux vers moi. Elle me regarde de ses grands yeux bruns comme pour dire : «Je suis désolée de t'avoir brisé le cœur, mais nous n'étions pas faits l'un pour l'autre.» Elle pourrait remporter un Oscar. Toutes les filles qui l'entourent me regardent comme si j'étais un bébé lapin et poussent un «Aaah».

C'est encore pire que d'entendre les idiots du fond rire de moi.

Puis, Umair s'approche et dit :

— Tu as vraiment invité Katie à sortir?

Il a l'air perplexe. Je ne peux pas vraiment le lui reprocher. Une fois, nous avons eu une conversation au sujet de la personne dans notre classe avec laquelle nous aimerions le moins nous retrouver sur une île déserte, et j'avais nommé Katie Pierce.

Je veux lui dire la vérité. C'est déjà assez triste quand ce sont les idiots du fond qui ne savent pas ce qui se passe mais, quand c'est quelqu'un qui a déjà été mon ami, c'est encore pire. Mais je ne peux pas. Ça fait partie du marché que j'ai accepté avec Katie de ne le dire à personne, et je ne peux pas le faire alors qu'elle me regarde.

— Ouais, je fais en haussant les épaules.

Il me regarde pendant une seconde comme s'il allait ajouter quelque chose, mais il semble changer d'avis. Il se contente d'incliner la tête et il retourne à sa place.

— Bon après-midi, tout le monde.

C'est Mlle Hurley. Je n'ai jamais été aussi heureux de voir un prof.

— Pouvons-nous tous nous asseoir, retirer nos manteaux, enlever nos sacs de nos pupitres et nous préparer à faire du bon travail? Julie, tu peux distribuer les livres de poésie, s'il te plaît?

Julie se lève et commence à distribuer les livres. C'est ce qui est bien avec Mlle Hurley : elle sait comment s'y prendre avec la classe. Si ça avait été n'importe lequel des autres profs, tout le monde l'aurait ignorée quand elle a dit de s'asseoir, et elle aurait dû se mettre à hurler avant que quiconque le fasse. Et Julie se serait plainte d'avoir à distribuer les livres et elle aurait dit que c'était le tour de quelqu'un d'autre, et il y aurait eu toute une engueulade. Avec Mlle Hurley, vous faites seulement ce qu'elle dit sans y réfléchir. J'ignore pourquoi on le fait pour elle et pas pour les autres. Je suppose que certains profs l'ont, et d'autres pas.

— Bien, dit Mlle Hurley, aujourd'hui, nous allons étudier des poèmes d'amour.

Je me sens mal. L'amour est le seul sujet que je préférerais éviter pour le moment.

— Maintenant, allez à la page 124, et voyons ce que William Shakespeare a à dire à propos de l'amour.

Il y a une sorte de gémissement quand la classe entend le nom de Shakespeare. D'après Mlle Hurley, c'est le plus grand écrivain de tous les temps. Eh bien, c'est peut-être vrai, mais il n'est pas toujours compréhensible.

— Je ne veux pas entendre de gémissements, dit Mlle Hurley. Si seulement vous lui donniez une chance, vous découvririez que Shakespeare justifie tous vos efforts. Maintenant, qui va lire ?

Les idiots du fond sautent sur l'occasion.

— Mickey.

— Mickey est un bon lecteur.

— Mickey va y mettre du sentiment.

Mlle Hurley me regarde.

— Je préfère les volontaires aux conscrits, comme vous le savez, dit-elle, mais Mickey, tu n'as pas lu depuis un moment.

Elle me regarde de nouveau. D'habitude, je ne crois pas qu'il faille demander des faveurs aux profs, mais je ne peux pas me résoudre à lire un poème d'amour alors que toute la classe sait ce qui se passe. Je secoue légèrement la tête dans sa direction.

— Non, dit-elle.

À la manière dont elle le dit, je sais qu'elle a compris que quelque chose se passait.

— Réflexion faite, je pense que nous devrions le demander à un de ceux qui ont bravement essayé de l'imposer à quelqu'un d'autre. Robert Foster, je suis certaine que tu liras merveilleusement bien le poème.

Foster est un des idiots du fond. Les deux autres commencent à rire de lui. C'est ce qui est bien avec les idiots. Ils ne sont même pas solidaires.

Quoi qu'il en soit, Foster lit le poème comme s'il s'agissait de l'annuaire téléphonique, puis Mlle Hurley le lit de nouveau. Elle le fait mieux que Foster, mais je ne comprends toujours pas vraiment le poème.

Puis, elle nous demande d'écrire notre propre poème d'amour. Je ne peux pas dire que j'en aie vraiment le goût. Je crois que c'est stupide de demander aux gens, comme ça, d'écrire un poème d'amour. Je parierais que personne n'a demandé à Shakespeare de le faire. À mon avis, il les a seulement écrits quand il était d'humeur à le faire. Mais on ne peut pas dire ça à Mlle Hurley.

— Quand vous pourrez écrire aussi bien que Shakespeare, je vous traiterai comme Shakespeare, dit-elle.

Peu importe, à environ cinq minutes de la fin du cours, Mlle Hurley dit :

— Bien. Arrêtez d'écrire maintenant. Est-ce quelqu'un aimerait lire son poème devant la classe ?

C'est le moment où tout le monde évite de croiser le regard de Mlle Hurley. Il n'y a rien de pire que de lire son poème devant la classe. Surtout si c'est un poème d'amour. Si c'était à propos du soccer, ce ne serait pas si mal.

— Le poème de Katie est vraiment bon, dit Julie.

— Tu veux le lire pour nous, Katie ? demande Mlle Hurley.

Katie se précipite devant la classe. Je ressens une drôle de sensation dans l'estomac.

— Mon poème, dit Katie, s'intitule *Tous les garçons t'aiment*. Il s'inspire de ma propre expérience.

— Vas-y, Katie, dit Mlle Hurley.

Je ne sais pas vraiment si je crois en Dieu ou non, mais c'est dans des moments comme celui-là qu'on fait une prière de toute façon.

Katie tousse.

— «*Tous les garçons t'aiment*» par Katie Pierce :

Il est venu me voir ce midi
Quand je fumais une clope.
Il a dit : «Je peux te parler?»
M'a jeté un regard d'antilope.

Il a dit : «Katie, tous les garçons t'aiment
Mais c'est moi qui t'aime le plus.
Je t'aime beaucoup mieux
Que tous ces minus.»

«Tu veux sortir avec moi?»
Il m'a demandé.
«Nous pourrions aller à maints endroits,
Comme au ciné.»

«Même si tu as un vrai béguin pour moi,
Je lui ai rétorqué,
Je ne peux pas sortir avec toi.
Ce serait un péché.»

J'ai cru qu'il allait pleurer ;
Alors je lui ai dit : « Mon cher étalon,
Je ne vais sortir avec personne
Qui n'ait de barbe au menton. »

Fin

Quand elle finit, tout le monde se tord de rire. Mlle Hurley dit qu'il manquait un peu de profondeur. Katie semble très fière d'elle-même. La cloche sonne. Je sors de la classe et de l'école à toute vitesse. Peu importe le prix, je vais prendre ma revanche sur Katie pour ce poème. Peu importe le prix.

Après la journée que je viens de passer, je n'ai envie de voir personne. Ce que je veux vraiment faire, c'est retourner à la maison, prendre un Coke, m'asseoir dans ma remise avec un sac de chips et imaginer une horrible vengeance contre Katie Pierce. Mais je n'ai pas ce choix. Toutes les choses que j'ai faites pour elle aujourd'hui avaient pour but de me donner une chance de résoudre cette affaire. Je ne peux pas faire fi de tout ça maintenant.

Je saute sur mon vélo et me dirige vers le parc où j'ai organisé une rencontre avec Tom Finney. En chemin, je m'arrête et endosse mon uniforme de St. John's. Je ne veux pas qu'ils sachent que je ne vais pas à leur école parce qu'ils pourraient arrêter de me faire confiance. Ils y sont déjà quand j'arrive au parc. Ils sont 8 petits de 11 ans (y compris Tom et Macauley). J'avais demandé à Tom qu'il en amène 10, mais il m'a dit que seulement 6 pourraient venir. Macauley se tient un peu à l'écart du groupe. Je les regarde et je crois encore moins en mon plan.

J'essaie de ne pas laisser voir mes sentiments. Personne ne va croire en vous si vous ne paraissez pas croire en vous-même. Je me prépare à faire mon grand discours.

— O.K., je commence, nous sommes ici parce que nous en avons marre de nous faire battre et que nous voulons changer les choses, n'est-ce pas?

Je m'arrête pour leur laisser le temps d'exprimer leur accord, mais c'est une erreur parce qu'ils ne le font pas. Tout de même, ils ne disent pas non. Je poursuis.

— Nous savons tous comment les brutes travaillent. Ils vous abordent quand vous êtes seuls à des endroits où on ne peut pas les voir et où ils sont plus gros et plus nombreux que vous.

La dernière phrase est tordue, mais je pense qu'ils comprennent le message.

— La seule manière de les arrêter, c'est de leur résister et de leur résister en grand nombre et au bon moment. Ensemble, vous représentez le grand nombre, et je vais m'assurer que ce soit le bon moment.

Je me dis que je pourrais devenir politicien un jour. Je n'ai aucune idée de ce que je dis, mais ils commencent à approuver de la tête.

— Et des fois, il faut que nous nous rappelions que, quand nous luttons contre quelqu'un comme Anthony, nous ne pouvons pas toujours être très honnêtes. Il faut nous préparer à dire des mensonges de temps en temps.

Je me laisse un peu emporter par mon discours, mais Tom l'a tout entendu déjà et il reste calme.

— Parle-leur du plan, dit-il.

Je suis son conseil.

— Voici l'idée, dis-je. Tom va aller voir Anthony et lui dire que Macauley va payer, mais qu'il veut que ce soit à lui et non à Wayne et Darren. Anthony va emmener Nico et Giovanni parce que, d'après ce que j'ai entendu, il ne va nulle part sans eux. Puis Tom va aller voir Wayne et Darren et leur dire que Macauley a décidé qu'il était fatigué de se faire cogner dessus et qu'il allait leur donner l'argent à eux et non à Anthony et ses copains. Tom va leur dire à tous que Macauley va les rencontrer derrière le gymnase pendant la récréation. Si nous voulons qu'ils arrêtent tous leur taxage, il faudra qu'ils se retrouvent tous au même endroit au même moment. Quand ils vont y arriver, ils seront probablement un peu perplexes parce qu'Anthony et ses copains ne s'attendront pas à ce que Darren et Wayne y soient, et Darren et Wayne ne s'attendront pas à ce qu'Anthony et sa bande y soient. C'est à ce moment que vous entrez en jeu. Vous serez aussi derrière le gymnase. Là, le plaisir va commencer.

Il ne semble pas qu'une rencontre supplémentaire avec les brutes plaise beaucoup à mon auditoire, de sorte que j'aborde tout de suite la deuxième partie de mon plan. Quand j'ai terminé, ils ne sont pas tout à fait convaincus, ce qui ne me surprend pas, parce que je ne le suis pas non plus. Je reprends mon discours de politicien.

— Écoutez, dis-je, si vous ne faites pas ça, vous baissez les bras. Vous vous couchez en boule et mourez, et vous le ferez pour le reste de votre vie parce que le monde est rempli de Darren et de Wayne et d'Anthony. Ils ne sont brutaux que parce que vous les laissez l'être. Si vous arrêtez de leur céder quelque chose, alors ils ne sont rien. Maintenant, venez.

J'ignore d'où me viennent ces discours. Mon père me dit que tout ce que je fais c'est de grogner la plupart du temps et, qu'à son avis, c'est un miracle quand je réussis à mettre deux mots l'un à la suite de l'autre. Il exagère, mais il n'a pas tout à fait tort. Je ne suis pas un grand parleur.

Pourtant, à voir mon auditoire, je semble produire un certain effet. On dirait qu'ils croient ce que je dis. Ce qui est encore plus étrange, c'est que je commence à y croire aussi.

— Je suis d'accord, dit Tom. Et vous ? fait-il en regardant les autres.

Lentement, un à un, ils commencent à incliner la tête jusqu'à ce qu'il ne reste que Macauley qui ne dit rien. C'est ennuyeux. C'est le seul dont j'aie vraiment besoin. Je regarde les autres jeunes et je commence à être en colère. Quel droit a-t-il de rester en dehors de ça et de laisser ces enfants se faire brutaliser encore?

— D'accord, dis-je. Nous allons devoir laisser tomber. Nous avons besoin de Macauley, et il ne va pas nous aider. Merci beaucoup, les garçons. À la prochaine.

Je tourne les talons et je commence à m'éloigner.

— Hé! crie quelqu'un.

Je me retourne. C'est Macauley.

— C'est d'accord, dit-il.

Dieu merci. Je me serais senti comme un parfait idiot si j'étais simplement parti comme ça.

— D'accord, dis-je, je vous vois tous demain.

C'est comme si j'étais leur père, ou quelque chose du genre. Aussitôt que je leur dis de partir, ils s'en vont. Je les regarde s'éloigner en me sentant un peu fier et passablement préoccupé. Ils sont sur le point de disparaître quand je me souviens d'une chose et crie.

— Tom. Comment s'appelle le gros prof avec la barbe?

— Braithwaite, me crie-t-il.

Si j'avais oublié de lui demander ça, la journée de demain aurait pu se transformer en un bain de sang.

J'arrive chez moi environ une demi-heure plus tard et je me dirige vers ma remise. Je n'ai pas très envie de revoir ma famille pour un moment. En revenant, je me suis acheté un Coke et un sac de chips. Je vais les déguster tranquillement.

J'ouvre la porte et allume la lumière. Il y a un mot sur le plancher. Je le ramasse et le lis.

Mickey (apparemment, je ne vaux pas la peine qu'on commence par *Cher Mickey*), *tu arrives quelque part avec cette affaire ou tu restes assis à ne rien faire ? Je veux des résultats. Je reviendrai demain. Sois ici. Madeleine.*

C'est vraiment une fille exigeante.

Mais, si tout fonctionne bien demain, elle aura plus de résultats qu'elle ne s'y attend, et peut-être que j'en verrai quelques-uns aussi de son côté.

CHAPITRE 7

Je ne dors pas très bien pendant la nuit et je me réveille avec l'impression que mon cerveau sommeille encore. Je reste sous la douche pendant à peu près 20 minutes et je me sens un peu plus vivant. J'enfile mon uniforme de Hanford High, fourre celui de St. John's dans mon sac et descends pour le petit déjeuner. Ma mère est en bas et elle a le même air que d'habitude le matin, c'est-à-dire vieux. Elle ne dort jamais bien. Ça a quelque chose à voir avec le stress. Je comprends mieux ce que les gens veulent dire quand ils parlent du stress. La pression commence à m'affecter.

— Mickey, dit ma mère.

— Ouais.

— Tu pourrais être plus gentil avec ton père? Il ne se sent pas très bien ces jours-ci.

— O.K., dis-je en commençant à me verser des céréales.

— Ne dis pas seulement «O.K.» comme ça pour me faire taire. Je veux que tu sois sincère.

Je pourrais vraiment me passer de ça en ce moment.

— Eh bien, il n'est pas toujours gentil avec moi.

— Il traverse une mauvaise période.

— Il traverse toujours une mauvaise période.

— Tu es égoïste, Mickey.

Elle se lève et sort de la pièce.

Une chicane de famille. Exactement ce dont j'ai besoin pour commencer ma journée.

Je quitte rapidement la maison et me rends au parc où j'endosse l'uniforme de St. John's. J'ai à peu près une heure et demie à passer avant que l'action commence. J'espère que Tom s'est assuré de trouver Anthony et Darren et de leur dire de se trouver derrière le gymnase à la récréation, sinon tout mon plan va s'effondrer. J'espère que Macauley restera hors de vue jusqu'à la récréation pour qu'ils ne puissent pas l'aborder avant la rencontre, et j'espère qu'aucun des autres jeunes ne s'est réveillé ce matin en décidant qu'après tout c'était une mauvaise idée de résister aux brutes.

Le parc paraît aussi dégoûtant que d'habitude. Je marche jusqu'à ma balançoire, mais quelqu'un a trouvé la cible trop attrayante et a brisé le siège en deux la nuit dernière. Eh bien, la balançoire l'a cherché. C'était la seule chose qui n'était pas brisée dans tout le parc.

Je marche jusqu'à l'étang. Il y a deux paniers de marché d'alimentation qui pointent à sa surface, et l'eau est brune et pue comme une toilette d'école. Je regarde, mais je ne vois aucun poisson.

Il y a un banc tout près qui n'est brisé qu'à une extrémité ; je vais donc m'y asseoir et j'attends. Je pensais qu'avec la pratique je serais devenu meilleur pour attendre. Je me disais que je pourrais en quelque sorte me mettre au neutre et que le temps filerait. Ça ne se passe pas comme ça. Le temps s'écoule plus lentement que je ne l'aurais jamais cru. Je n'arrête pas de me dire de ne pas regarder ma montre parce que, chaque fois que je le fais, les aiguilles ne semblent pratiquement pas avoir avancé. Je pense que, si je reste dans ce parc assez longtemps, le temps va commencer à reculer.

Mais ça n'arrive pas. Il s'écoule lentement et, finalement, il ne reste que cinq minutes avant que la cloche
sonne pour la récréation. Je me rends à St. John's et
j'attends aussi près que possible du portail sans me
faire voir.

La cloche sonne.

Trente secondes plus tard j'entre dans l'école juste
au moment où les jeunes commencent à s'éparpiller
dans la cour de récréation. Tom, Macauley et cinq des
autres jeunes, à qui j'ai parlé hier, sortent rapidement
et se dirigent vers le gymnase. Il aurait dû y avoir un
autre jeune. Peut-être qu'il est mystérieusement tombé
malade pendant la nuit. La fièvre jaune, sûrement.
Mais sept suffiront.

Tom tourne la tête vers l'endroit où je lui ai dit que
je serais et me fait signe que tout va bien. Ça veut dire
qu'il a passé le message à Darren et Wayne, puis à
Anthony et ses acolytes. Il ne nous reste plus qu'à espé-
rer qu'ils se montrent tous.

Cinq minutes s'écoulent sans que rien n'arrive.
Enfin, rien de ce que j'attends en tout cas. C'est une
récréation normale : des jeunes qui frappent un ballon
ici et là, des jeunes qui se disputent, des jeunes qui se

gavent de chocolat et des jeunes qui s'éloignent mine de rien pour aller fumer. À un certain moment, deux profs apparaissent, ce qui m'inquiète un peu, mais ils ne s'éloignent pas de la porte. Ils bavardent pendant un moment, boivent leur café et rentrent.

Finalement, j'aperçois Anthony et ses comparses, et ils vont dans la bonne direction. Où sont Darren et Wayne? Ils sont si stupides que, lorsqu'on leur donne les directives les plus claires du monde, ils les interprètent mal. Je veux qu'ils soient tous présents, mais je ne peux pas me fier à Macauley et Tom pour pouvoir retenir très longtemps Anthony et les deux autres.

Anthony et ses acolytes tournent le coin. C'est mon signal pour enclencher mon plan, mais Darren et Wayne ne sont nulle part en vue. J'ai dit aux jeunes qu'ils n'ont qu'à occuper les brutes pendant quatre minutes. À ce moment, la cavalerie arrivera.

Puis, j'aperçois Darren et Wayne. Mais ce n'est pas une bonne nouvelle. Ils s'éloignent du gymnase. Ils ont oublié la rencontre. Je ferme les yeux pendant cinq secondes et je prie pour qu'ils reviennent sur leurs pas. Je rouvre les yeux. Ils s'éloignent toujours du gymnase.

Je regarde ma montre. Les choses s'étirent un peu trop. Tout le plan va échouer.

Il n'y a rien d'autre à faire que d'essayer de les faire venir là-bas. Je commence à courir vers eux tout en leur criant.

— Hé!

Je ne vais pas trop m'approcher.

— Quoi? dit Darren.

— Anthony vous fauche vos clients, dis-je.

— Oh..., dit Darren.

— Ouais, dit Wayne.

— Derrière le gymnase, Macauley lui donne de l'argent. Rossez-moi si ce n'est pas vrai, dis-je.

Puis je pars au pas de course en direction de l'école.

Je jette un œil derrière moi juste avant d'entrer pour voir Darren et Wayne se diriger vers le gymnase.

J'entre dans l'école et je marche aussi vite que possible, sans attirer l'attention, vers la salle du personnel. Tom m'a dit exactement où elle se trouvait. J'y arrive rapidement. Il y a quelques jeunes qui flânent à l'extérieur. Je me faufile à travers le groupe et je frappe durement à la porte.

Un prof ouvre brusquement.

— Il faut que je voie M. Braithwaite, dis-je.

— Tu n'es pas censé déranger les professeurs pendant leur pause, dit le prof.

— Il m'a dit de venir ici, je lui réponds. Il m'a dit que j'aurais des problèmes si je ne le faisais pas.

Le prof me regarde, puis tourne la tête.

— Frank, crie-t-il, un jeune pour toi.

J'entends quelqu'un lui crier une réponse, mais je ne saisis pas ce que c'est. Le prof se retourne vers moi.

— Il va arriver dans une minute, dit-il en refermant la porte.

Ce n'est pas ce que j'espérais. Je suis déjà en retard. Derrière le gymnase, Macauley et Tom sont en train de dire à Anthony qu'eux et les autres jeunes veulent diminuer les paiements qu'ils lui versent. C'est pourquoi ils sont tous là. S'il n'est pas d'accord, ils vont arrêter de le payer. Je leur ai dit d'argumenter avec lui jusqu'à ce que j'arrive, mais ils ne vont pas pouvoir le faire pendant une éternité.

Je fixe la porte fermée. Allez, allez, je me dis.

La porte s'ouvre sur Braithwaite. J'ai eu peur qu'il ne me reconnaisse pas, mais j'avais tort. Son visage devient rouge de colère.

— Toi, mon garçon, hurle-t-il. Je t'ai cherché dans l'école pendant deux jours. Tu es vraiment dans le pétrin.

Je le regarde carrément dans les yeux.

— Vous êtes gros et vous êtes laid, je lui dis avant de me retourner et de me mettre à courir.

Je ne suis pas certain que la dernière insulte ait été tout à fait nécessaire, mais je dois m'assurer qu'il parte à ma poursuite.

Pas de problème de ce côté. Il pousse d'abord un grand beuglement mais, comme je continue de courir, il s'élance à ma suite. Je traverse le corridor. J'essaie de ne pas courir trop vite parce que je ne veux pas qu'il abandonne ou qu'il fasse une crise cardiaque, ou quelque chose du genre. C'est plus difficile que je ne l'avais imaginé parce que mes jambes n'écoutent pas mon cerveau. Elles ont peur et elles essaient de courir aussi vite que possible. Mais il me talonne toujours. Je l'entends respirer bruyamment.

Je tourne dans un corridor et je prends la direction de la cour de récréation. Il y a un prof à l'autre bout. Il regarde de l'autre côté. Braithwaite doit avoir aussi tourné le coin parce que je l'entends crier : «Ron, attrape ce jeune, tu veux?» Le prof à l'autre bout se retourne. Je cours vers lui, fais semblant d'aller dans un sens, puis bifurque dans l'autre. Sa main me frôle quand je passe près de lui, mais je réussis à sortir.

Je prends tout de suite la direction du gymnase. Maintenant, j'ai deux profs qui me poursuivent. Je continue de courir en pensant que je vais trébucher d'un moment à l'autre. Je tourne la tête. Ils sont à environ 10 mètres derrière moi. Ce n'est pas suffisant. J'accélère pour un sprint final au moment où j'arrive au gymnase. Aussitôt qu'ils me voient, les jeunes entrent en action.

Ce que je vois en tournant le coin, ce sont cinq petits jeunes qui sautent sur cinq gros jeunes pendant que deux autres petits tombent sur le sol et commencent à se tordre comme s'ils souffraient le martyre. Maintenant, que feriez-vous si vous étiez une grosse brute de 16 ans et qu'un petit de 11 ans vous attaquait? Vous le jetteriez par terre et, comme vous êtes une brute, vous pourriez même aussi lui donner quelques coups de pieds. Et c'est exactement ce que Braithwaite et Ron voient quand ils tournent le coin cinq secondes plus tard. Il voient 5 jeunes de 16 ans qui tombent à bras raccourcis sur 5 jeunes de 11 ans, et 2 autres jeunes de 11 ans gisant à l'agonie sur le sol, déjà tabassés.

En découvrant qu'ils viennent tout juste de se précipiter dans la Troisième Guerre mondiale, les profs m'oublient et s'élancent pour séparer les combattants. Braithwaite arrache Anthony de son jeune de 11 ans, sans comprendre que ce dernier a tout déclenché, et le frappe durement contre le mur du gymnase. Je commence à aimer Braithwaite un peu après tout. Les brutes paraissent complètement désorientées. Ils n'arrivent pas à comprendre ce qui leur arrive. Ron tient Darren par les cheveux et Wayne par le bras. Tout le monde hurle. J'adore le spectacle.

Une multitude d'autres jeunes se dirigent vers la scène. Les jeunes ont une sorte de sixième sens pour deviner qu'il y a un problème. Ils savent toujours quand quelque chose se passe qu'il vaut la peine de regarder. Mais ils rendent la chose si évidente qu'ils attirent les profs également. Deux autres courent déjà vers la scène. Je voudrais rester et regarder, mais je sais que Braithwaite va bientôt se souvenir de moi. Il faut que je parte avant qu'il ne m'attrape parce que je vais devoir trouver le meilleur mensonge de ma vie pour me disculper de tout ça.

Je jette un dernier regard. Braithwaite tient Anthony par le col de sa chemise en lui hurlant qu'il est un voyou et une brute. Anthony crie que le jeune l'a attaqué. Braithwaite secoue Anthony comme une poupée et crie : « Ne me mens pas, garçon. Tu es triste à voir. » Les jeunes qu'Anthony dit l'avoir attaqué sont tous étendus par terre et semblent en train d'agoniser. Je pense qu'ils pourraient tous devenir acteurs quand ils deviendront grands. Ils ont même l'air d'avoir été rossés et je sais pourtant que ce n'est pas le cas. Je me retourne et me dirige vers le portail. Affaire classée.

Évidemment, ça ne fonctionne jamais comme vous vous y attendiez. Je reviens à Hanford High en me sentant comme un génie et je me faufile dans le cours de maths, puis dis au prof que je suis allé chez le dentiste. Il me dit qu'il a un message d'après lequel, si j'apparais, je dois me rendre au bureau du directeur-adjoint. J'aurais dû sentir que quelque chose n'allait pas, mais je pensais à l'avant-midi à St. John's. Alors, je frappe à la porte et j'entre. Qui est là? Le directeur-adjoint, M. Newman et mon père. Anthony n'est pas le seul qui va se faire prendre aujourd'hui.

C'est ma faute si je n'ai pas remarqué que M. Newman devenait un meilleur prof. Il a noté mes absences et mes retards, et il a cru m'avoir vu quitter l'école tôt la semaine dernière. Il a fait quelques vérifications. Il a téléphoné à mon père, et ils sont tous ici et exigent des réponses. Les profs sont peut-être lents, mais ils finissent par vous coincer en bout de ligne.

Je ne vais pas vous ennuyer avec tous les mensonges que je dois leur servir. Je leur dirais volontiers la vérité pour une fois, mais pensez-vous qu'ils croiraient que j'ai passé ces derniers jours à éviter à tout un groupe de jeunes de 11 ans d'être brutalisés dans une autre école? Je ne pense pas. Mais, si les mensonges sont ennuyeux, les sermons sont encore pires. J'en ai un du directeur-adjoint, deux de Newman et tellement de mon père que j'en perds le compte. Au bout d'un moment, je me mets au neutre et je dis «Oui» ou «Je suis désolé» chaque fois qu'il se présente un temps mort dans l'engueulade. Ça semble fonctionner.

L'école me punit avec des retenues pendant une semaine, avec des travaux supplémentaires et en m'envoyant rencontrer le conseiller de l'école une fois par semaine. Mon père me punit en me faisant faire tous les travaux auxquels il peut penser dans la maison puis, quand il n'en trouve plus, il m'envoie chez ma grand-mère pour faire tous ses travaux aussi. Je ne l'ai jamais vue aussi heureuse. Elle me suit partout en me disant à quel point je suis ingrat.

Je ne peux même pas me rendre à mon rendez-vous avec Madeleine. Je lui laisse un mot, lui disant que je vais la rencontrer à la même heure et au même endroit la semaine prochaine, et que Macauley ne se fera plus battre à l'école. Le fait de songer à Madeleine est à peu près la seule chose qui me garde sain d'esprit.

CHAPITRE 8

Une semaine plus tard, la tension a un peu diminué, et je ne suis plus l'ennemi public numéro un. Je suis assis dans ma remise et j'attends Madeleine.

J'ai toutefois réussi à comprendre une petite chose. En me faisant attraper, je n'ai plus à m'inquiéter que Katie me dénonce. Ils ne peuvent pas vous punir plus d'une fois pour la même infraction, n'est-ce pas ?

Alors, une journée, je me sers de l'appareil photo de mon père. Il comporte un zoom, ce qui signifie que je peux prendre des photos rapprochées des gens sans qu'ils s'en aperçoivent. Les photos qu'ils obtiennent des célébrités dans les journaux sont toutes prises avec un zoom. Celui de mon père n'est pas si bon, mais il suffit pour capter Katie Pierce en train de fumer à l'autre bout de la cour de récréation de l'école. Je fais développer les photos le soir même et je passe les prendre le lendemain. Ce matin-là, je rapporte le registre après l'enregistrement des présences. Je me faufile dans les toilettes et jette un coup d'œil sous le nom de Katie. Il y a son adresse. Puis, je poste les photos à sa mère. Normalement, je n'impliquerais pas les parents dans quelque chose comme ça. C'est un peu injuste, mais je me dis que, si Katie peut enfreindre les règles, je le peux aussi.

Le matin suivant, pendant l'enregistrement des présences, les filles parlent d'une fête qui aura lieu bientôt. C'est à la maison de ce jeune de 16 ans, ce qui les rend toutes folles à l'idée d'y aller. Les filles semblent toujours penser que les plus vieux sont mieux. Elles disent toujours que les gars de 16 ans ont plus de maturité. Je ne comprends pas ça. La plupart des gars de 16 ans passent la moitié de leur temps dans des fêtes à boire des litres de cidre bon marché et l'autre moitié à les vomir. Elles pensent que c'est cool? Malgré ça, vous n'allez jamais convaincre les filles. Une fois qu'elles ont décidé qu'un gars a de la maturité, elles vont continuer à le croire même si elles découvrent qu'il porte encore une couche.

Chose inhabituelle, Katie ne parle pas beaucoup quand elles discutent de la fête. Normalement, elle parle deux fois plus que toutes les autres et deux fois plus fort. Puis, elle marmonne quelque chose à propos du fait de ne pas pouvoir y aller : sa mère lui a interdit de sortir pendant deux mois parce qu'elle a découvert qu'elle fumait. Elle me voit l'écouter quand elle dit ça.

— Occupe-toi de tes affaires, me dit-elle.

— Désolé, je ne peux pas te quitter des yeux. Mais peut-être que, si j'avais une photo de toi, je pourrais me contenter de la regarder. Tu n'as pas des photos de toi qui ont été prises récemment ?

Il y a un moment savoureux quand sa bouche s'ouvre de surprise. Les gens comme Katie croient qu'ils peuvent vous traiter comme de la merde tout le temps, puis ils sont surpris quand vous leur servez le même traitement.

N'allez pas croire que je me raconte des histoires. Si vous vous attaquez à Katie Pierce, elle va certainement se venger. Mais, pour l'instant, c'est moi qui tiens le gros bout du bâton, et ça fait du bien.

Je recrée ce moment magique dans ma tête au moment où on frappe à la porte. Madeleine entre. Elle est incroyablement belle. Tous les doutes que j'ai eus à savoir que ça allait en valoir la peine s'évanouissent de mon esprit.

Elle ne s'assoit pas, mais s'adosse au mur dans le coin le plus reculé de la remise et me regarde.

— Alors, Mickey, dit-elle de cette douce voix profonde qu'elle a, tu as résolu l'affaire.

J'incline la tête. J'ai vérifié auprès de Tom pendant la semaine. Anthony et sa bande sont tous suspendus, et ils vont être expulsés dans deux semaines. J'espère qu'ils n'aboutiront pas à Hanford High. Nous avons déjà trop de cinglés. Tous les jeunes ont parlé de l'extorsion après avoir entendu dire qu'aucun prof n'allait croire Anthony leur disant que c'était un coup monté.

Madeleine commence à déambuler lentement autour de la remise. Je la suis des yeux comme s'ils étaient en laisse. Elle s'avance nonchalamment jusqu'à côté de mon bureau. Elle me regarde fixement. Je la fixe aussi. Mes yeux ne la quittent pas.

— Peut-être que j'ai sous-estimé tes aptitudes, dit-elle.

Je hausse les épaules.

— Eh bien, j'aimerais te remercier, dit-elle en me regardant, mais comment? Qu'est-ce qu'une fille comme moi peut donner à un gars comme toi?

Je ne dis rien. Elle enfouit une main dans sa poche et en sort un paquet.

— De la gomme à mâcher? demande-t-elle en m'en offrant une.

Ce n'est pas le genre de récompense que j'avais à l'esprit. Je secoue la tête.

Elle en développe une et la met dans sa bouche. Elle commence à mâcher sans arrêter de me regarder. Je regrette de ne pas avoir pris la gomme. J'ai la gorge sèche.

— J'ai peut-être une idée, dit-elle.

Elle se penche, de sorte que son visage se trouve devant le mien. Je ne peux plus bouger. Mes yeux fixent les siens. Son visage vient vers le mien. Je ferme les yeux.

Tout à coup, je ne la sens plus là. J'ouvre les yeux. Elle est déjà près de la porte et me regarde avec un sourire malicieux.

— Tu as dit 5 dollars par jour, n'est-ce pas ? Je t'ai donné un petit supplément comme pourboire. À la prochaine, Mickey.

Puis elle disparaît.

Je penche la tête et je vois 2 billets de 20 dollars devant moi. Je les ramasse et je regarde le visage de la reine qui me fixe. Son visage est vieux, et elle a un double menton. Elle a l'air amusé. Je la chiffonne et je la glisse dans ma poche.

J'ouvre un tiroir et j'en tire une bouteille de Coke. Je dévisse le bouchon d'un geste brusque, et les bulles pétillent rageusement. Je prends une longue gorgée. Ça a été toute une semaine, et j'ai besoin de me calmer.

FIN

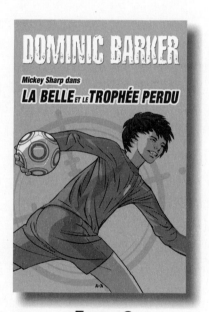

Tome 2

Mickey Sharp dans
LA BELLE ET LE TROPHÉE PERDU

CHAPITRE 1

Les horloges mentent. Elles essaient de vous dire que le temps s'écoule toujours au même rythme. Qu'une heure en Géographie à étudier l'érosion des sols dure aussi longtemps qu'une heure à regarder votre émission préférée à la télé. C'est impossible. L'une passe à toute vitesse et l'autre pas. Je crois qu'ils ont mis quelque chose dans les horloges pour qu'elles ralentissent pendant les cours. Puis, à la fin de la journée, elles accélèrent toutes. C'est probablement un genre de conspiration gouvernementale pour faire en sorte que les jeunes passent tout leur temps à l'école. C'est ma théorie en tout cas.

Je réfléchis à ça parce que je fixe cette horloge que j'ai apportée à mon bureau (en fait, c'est en réalité notre remise du jardin, mais je l'appelle un bureau pour me faire sentir mieux), et elle avance vraiment lentement. Elle avance vraiment lentement parce que j'attends une affaire, et ce, depuis maintenant deux semaines. J'ai très bien résolu ma dernière. Je veux dire, elle m'a causé des problèmes, mais j'ai attrapé les méchants à la fin. Et je me suis dit que la rumeur se répandrait et que j'aurais des files de gens qui me soumettraient des affaires à résoudre. J'ai même retiré mon annonce du journal parce que j'étais convaincu que ma clientèle augmenterait beaucoup. Et qu'est-ce qui s'est produit? Absolument rien.

Ça me semble injuste. Les policiers ne résolvent jamais toutes leurs affaires même s'ils ont des autos et des ordinateurs, mais les gens continuent d'aller les voir, et me voici avec un taux de succès de 100% et je ne peux même pas participer à l'action. Après une semaine sans affaire, je suis retourné placer mon annonce dans le journal local. Elle m'a coûté plus d'argent que j'en ai gagné avec ma dernière affaire. Cette fois, j'avais ajouté deux mots, et ils ont augmenté le prix.

DÉTECTIVE PRIVÉ
EXPÉRIMENTÉ ET DOUÉ

CHERCHE AFFAIRES
ACCEPTE TOUT DANS LA RÉGION
14 ans, alors services bon marché

Communiquez avec :
Mickey Sharp
La Remise, L'arrière-cour
32, Wake Green Road
Hanford

J'ai pensé que le fait d'y inscrire «Expérimenté et doué» l'améliorerait, mais je ne suis toujours pas certain à propos de la partie sur la remise. J'ai pensé l'appeler «le bureau» parce que ça sonne mieux, mais le problème c'est que, si des gens arrivaient avec une affaire, ils chercheraient un bureau. Et ils pourraient repartir parce que tout ce qu'ils verraient, ce serait une remise.

Mais j'ai essayé de lui donner un air plus professionnel. En plus d'un bureau, d'une chaise et de deux vieilles boîtes, j'ai réussi à mettre la main sur un classeur. Nos voisins le jetaient. Je n'ai aucun dossier à y mettre et, même si j'en avais, je ne pourrais pas parce que quelqu'un l'a verrouillé, puis a perdu la clé. Alors, il est inutile, mais il paraît bien. Comme la plupart des vedettes de la pop.

Et l'horloge. C'est une de ces anciennes horloges qu'il faut remonter. Elle était dans notre chambre d'invités depuis des années. Je ne sais pas pourquoi nous l'appelons la chambre d'invités parce qu'elle est remplie de tout un bric-à-brac, et nous n'avons jamais d'invités. Personne ne se sert jamais de l'horloge; je l'ai donc apportée ici. Elle fonctionne encore. Les vieilles choses sont comme ça. Elles continuent de fonctionner même quand tout le monde a oublié qu'elles existaient. Mais le problème, c'est son tic-tac qui est vraiment fort. Il met l'accent sur chaque seconde, et chaque tic-tac me rappelle que le temps passe et que je n'ai toujours pas d'affaire à résoudre.

Je me demande si je vais la laisser s'arrêter pour toujours quand soudain j'entends un bruit sourd contre la porte. Elle s'ouvre, et un ballon de soccer rebondit à l'intérieur. Je le regarde rebondir. Il frappe le mur et se met à rouler. Il roule vers moi et s'arrête à mes pieds.

Le tic-tac de l'horloge semble s'amplifier.

Je ne bouge pas. Où il y a un ballon de soccer en mouvement, il y a nécessairement un joueur de soccer, et je me dis qu'il va arriver bientôt pour récupérer son ballon. Cinq tic-tacs plus tard, une silhouette en survêtement entre dans la pièce et me donne tort.

— Super but, dit-elle. Tu es détective?

Elle n'est pas le joueur de soccer que j'imaginais. Elle a des cheveux noirs en pointes, un anneau au nez et les meilleures chaussures de sport qu'on puisse trouver. Elle n'a pas besoin de me dire qu'elle est Américaine. Je le comprends tout de suite à son accent. Je lui dis que je suis bien le détective.

— Désolée à propos de la porte. Quand une fille doit botter, elle doit botter. Tu vois ce que je veux dire?

Je n'en ai aucune idée, mais j'incline la tête quand même. Je sors mon carnet et mon crayon, et je m'appuie contre le dossier de ma chaise. Ça me fait sentir comme un détective quand je suis seul ici. Avec cette fille qui me fixe de ses grands yeux noirs, ça ne marche pas aussi bien. Je la regarde à mon tour. J'espère que c'est un regard efficace.

— Ce n'est pas comme dans les films, dit-elle.

Son commentaire me secoue un peu parce que je pensais que j'avais l'air d'être dans un film.

— C'est la vraie vie, lui dis-je.

— Ça ressemble plus à la vie dans un grenier, dit-elle.

Elle jette alors un coup d'œil dans les coins de la remise que je ne me suis pas encore résolu à nettoyer.

Il ne me vient pas tout de suite à l'esprit une réponse futée, si bien que je commence à mâchouiller mon crayon tout en essayant de ne pas avoir l'air trop désespéré. Le silence semble me mener quelque part, ce qui en dit long sur ma conversation. Elle hausse les épaules, ramasse son ballon et s'assoit sur une boîte.

— Alors, quelle est l'affaire ? je lui demande.

— L'affaire, c'est le problème, laisse-t-elle tomber. Ce matin, je suis partie le chercher, et il n'était plus là. Je n'arrivais pas à y croire. Je pensais que c'était une blague, mais ça n'en était pas une. Personne ne sait rien à ce propos.

Elle tient le ballon serré contre elle comme si elle le protégeait.

— Qu'est-ce qui n'était plus là ? je lui demande.

— Le trophée, idiot. Je n'ai pas été claire ?

— Quel trophée ?

— Le Georgina Best Memorial Trophy pour les moins de 12 ans, imbécile.

— Qu'est-ce que c'est ? je demande bravement.

— Qu'est-ce que c'est ? dit-elle.

— Je l'ignore, je viens juste de te le demander, lui dis-je.

Ses yeux jettent des éclairs meurtriers. Mais elle est également séduisante, d'une certaine manière dangereuse. Ses yeux donnent l'impression de luire et de s'enflammer.

— En quoi ça t'intéresse ? dis-je rapidement pour la distraire. Tu n'as pas 12 ans.

— Bonne déduction, Monsieur le détective, dit-elle.

J'ai de plus en plus l'impression qu'elle n'est pas très impressionnée.

— Quel âge as-tu ? je lui demande.

— Qu'est-ce que ça peut faire ?

— Ça pourrait être important, dis-je.

— En quoi ça peut avoir de l'importance que j'aie 16 ans ?

Ça en a pour moi. J'ai 14 ans, et elle en a 16. On ne sait jamais; elle pourrait être attirée par les gars plus jeunes. J'aimerais avoir commencé à me raser.

— Vas-tu finir par me poser une question intelligente?

— Ouais, je lui réponds. Si tu as 16 ans, alors pourquoi tu t'intéresses à une coupe destinée aux jeunes de moins de 12 ans? Tu ne peux pas la remporter. Même si tu mentais à propos de ton âge, ils te repéreraient.

Elle paraît perplexe pendant une minute, puis elle reprend son expression normale qui est, disons, féroce.

— Est-ce que j'ai l'air d'une joueuse de soccer? demande-t-elle d'un ton dur.

Elle porte un survêtement, des chaussures de sport dispendieuses et un ballon dans sa main. À mes yeux, il n'y a qu'une seule réponse évidente. Pourtant, j'ai l'impression d'avoir tort.

— Ouais.

— Je ne joue pas. Je suis l'entraîneuse.

— Oh, je répète.

Elle semble vraiment s'en faire beaucoup pour si peu. Ce serait une erreur facile à faire. Même pour une fille en colère, elle semble réagir de manière un peu exagérée.

— Tu n'as pas remarqué ça?

Elle me tourne le dos. Sur son survêtement, on peut lire PHŒBE STRADLATER, ENTRAÎNEUSE, LES AMAZONES en grosses lettres.

— Je ne suis pas très doué quand il s'agit de voir à travers les gens, lui dis-je.

Elle se retourne vers moi.

— Je pense que je peux voir à travers toi. Tu n'es pas un détective. Tu ne suis pas les règles.

Aussitôt qu'elle dit «règles», je commence à me sentir rougir. C'est quelque chose qui m'arrive sans que je sache pourquoi. Nous avons ces cours d'Éducation personnelle, sociale et sanitaire toutes les deux semaines à l'école avec Mme Walter. Nous avons parlé des menstruations le mois dernier. Mme Walter dit que les garçons devraient en savoir autant sur le sujet que les filles parce que c'est une chose dont tous les membres de la société devaient être conscients pour promouvoir une plus grande compréhension et une plus grande tolérance. Elles ne me paraissaient pas aussi importantes. À la fin du cours, j'étais

rouge comme un chandail de Manchester United[1].
La semaine prochaine, nous allons parler des rap-
ports sexuels protégés. Ils vous donnent votre propre
condom. J'ai horriblement peur de ne pas pouvoir le
dérouler. Je n'ai jamais eu de talent pour les choses
manuelles.

— Pourquoi ne pas me donner une chance? je lui
demande.

Elle me regarde, puis hausse les épaules.

— Je n'ai pas le choix, dit-elle.

— Alors, oublie les insultes et raconte-moi tout.
Nous n'irons nulle part si tu ne fais que rester plantée
là et m'insulter.

Phœbe ouvre la bouche pour ajouter quelque chose,
puis elle s'arrête. C'est un grand effort de sa part. C'est
comme si elle étouffait. De toute évidence, c'est une de
ces personnes qui doivent absolument avoir le dernier
mot. Elle finira probablement par devenir prof. Il faut
toujours qu'ils aient le dernier mot. Dans mon école,
on dit normalement : «Va attendre devant le bureau de
M. Walton.» C'est le directeur, et il a beaucoup d'excel-
lentes aptitudes pour vous engueuler et vous frapper

---

1 N.d.T. : Célèbre équipe de soccer britannique.

de son doigt pendant qu'il vous dit que vous êtes un bon à rien.

Quoi qu'il en soit, Phœbe cesse d'émettre ce bruit d'étouffement et sort une espèce de carnet de sa poche qu'elle laisse tomber sur mon bureau. Je lui lance ce qui est censé être un regard interrogateur. C'est une chose que font les détectives. Ils font toujours ça à la télé. C'est comme lorsque vous levez un sourcil pour essayer de dire «Ah! Ah!». Le problème, c'est que je n'arrive jamais à lever un seul sourcil. J'ai essayé devant le miroir de la salle de bain. Les deux sourcils se lèvent en même temps, et j'ai l'air stupide.

Je tire le carnet vers moi. Il s'intitule *Réglementation concernant le Georgina Best Memorial Trophy pour filles. Section pour les moins de 12 ans.*

— Va au Règlement 18, article 3, paragraphe 4, alinéa D, dit Phœbe.

Je fais comme elle me dit.

— Qu'est-ce qui est écrit? demande-t-elle.

Je dois plisser les yeux pour lire le texte parce que l'écriture est minuscule, comme sur ces offres gratuites renversantes qu'ils vous refilent toujours dans les restaurants-minute et qui affirment que vous pouvez gagner un million de dollars en grandes lettres grasses et, qu'au bas de la page, en lettres microscopiques, ça dit : *Seuls les Martiens peuvent remporter le prix,* ou quelque chose du genre. Il y a toujours un piège dans ce genre de concours.

www.ada-inc.com
info@ada-inc.com

 www.facebook.com/editionsada

 www.twitter.com/editionsada